MW00526700

为了人与书的相遇

冬泳

班宇 著

上海三联书店

目录

盘锦豹子

孙旭庭第一次来我家里时，距离那年的除夕还有不到半个月，我正在院儿里放鞭，一整挂大地红被拆成五百个小鞭，我捋顺火药捻儿，举着半根卫生香逐个点燃，这些小鞭我已经连续放了三天，炸过冷空气、铁罐和下水井盖，闷哑的、低沉的、脆亮的、空洞的，各种各样的动静都听过，到最后觉得索然无味，口袋里还剩着大半兜的火药，没处施展。

我站在门口雪堆的最高处，望见有人朝我家的方向走过来，方脸，眼睛亮，个子挺高，得有一米八，但背有些驼，穿一身灰色呢子大衣，敞着怀儿，系一条奶白色围脖，戴黑皮手套，远看挺有派，眉眼儿周正。我不认识这个人，准备吓唬他一下，于是吹了两下香灰，想要在他走近时，点根小鞭朝他扔过去，然后跑掉。他走到一半时，忽然立在原地，不再前行，而是直直地看向我，仿佛能洞穿我的心思，没过几分钟，我的小姑推着自行车从另一条路走过来，车轮在她身后的雪地留下一道浅淡的印迹。他们说了几句话后，小姑忽然发现雪堆上的我，于是挥着手高喊我的名字，我很不情愿地从雪堆上滑下来，走过去迎接。

走到近处，我才注意到，他左手拎着柳木筐，里面装着半把蒜毫、两瓶黄桃罐头和一只光溜溜的白鸡，右手拎着一个扎紧的编织袋，上面写着两个粉色大字。我指着编织袋问小姑说，这第一字我认识，念尿，撒尿的尿，第二个字念啥。小姑翻过来编织袋看了看，瞪了他一眼，然后对我说，念素。我问，啥是尿素。小姑说，我也不知道。我说，可能是从尿里面提炼出来的精华。我转过头去问孙旭庭，我说得对不？他尴尬地咳嗽两声，伸出手将编织袋递向我，我有点犹豫，但还是接了过来，发现袋子根本没什么重量，飘轻儿，稀里哗啦乱响，好像大风一吹，它就能在空中摆起来。

孙旭庭跟在小姑后面进屋，满面红光，精神十足，点头哈腰打招呼，我奶用白瓷缸子给他沏了一杯浓浓的花茶，离着老远都能闻见漾出来的苦味儿，然后便拎着那只白鸡钻进厨房里。孙旭庭脱下呢子大衣，问小姑说，有衣裳挂儿没？小姑说，没有，我家衣服都堆炕上。他说，借的，明天得还回去，版型不能给整乱了。小姑想了想，把大衣的领子口儿戳在门口的拖把上，看上去像一位窝囊的丑角儿。孙旭庭憨笑着说，还得是你，真有办法，懂得随机应变。小姑说，干活吧，好好表现。

他半跪在地上，后腰结实而宽厚，像一堵墙，给自己点上根烟，轻快地伸出两根手指，拽去系在编织袋口的玻璃绳儿，再将袋子反向倾倒，几十个空的铝制易拉罐呼啦一下跳出来，滚落满地，同时传出一股甘甜的汽水味儿。他吐着烟圈问我，知道干啥的不？我说，知道，踩扁了卖给收破烂的，八分钱一个。他说，那不白瞎好东西了，你看我给你变戏法。

孙旭庭将易拉罐上下盖的部分用锥子各打一个孔，两两一组，每组之间隔着几厘米，依序排好，两侧打头的是粉红色的珍珍荔枝，然后是白色的健力宝，黄色的棒棰岛，扯去外皮的铜芯从中钻进去，再用扣钉铆实，这些空易拉罐固定在绝缘条上，两个绝缘条一横一竖绑紧，直到最后勒上转换插头，另一端接到电视后面，这时我才看明白，他是在做接收天线。

小姑抓着一把毛嗑儿，侧身斜卧在炕上，跟我奶摆扑克，上下两横排，各六张打头的，这叫十二月，算命用的，能看出来今年哪个月顺当，哪个月里有坎坷。

忙活了俩小时后，天线初具形态，孙旭庭小心翼翼地捧起一端，另一只手推开窗户，冷风迅猛灌入，他脱掉鞋子，踩在窗台的黄棕色瓷砖上面，将上身伸出去，左手举着十字架一样的天线，右手掏出兜里的锤子，嘴里咬着两根长钉，脸抵在气窗上，模样有点可笑，看起来像是吊挂在外面，他嘴里哈出的白汽将窗户上的冰霜浸润，几粒水滴贴着玻璃快速流下，又忽然静止于某处。我奶坐在炕上，拉长声音朝他喊道，拔脚不，旭庭啊，别冻着。他连忙摇摇头，抬高眼皮，继续寻觅最佳的扎钉位置。小姑说，不用管他，妈，鸡啥时候能炖好。孙旭庭在外面摆弄半天，又低头猫起腰，缩回到窗口里来，朝着屋里的小姑说，那谁，彩电塔在哪个方向来着，天线得朝着那边，不然信号不好。我小姑跳下炕，拧开电视机，说，你调天线就行，哪个方向效果好，彩电塔就在那边呗，死脑瓜骨儿。

我爸下班回来时，接收天线已经安装完毕，斜支在外屋顶，立于风中，直指天际，白鸡也炖好了，分了两大碗装，表面都有一层黄澄澄的油花，又烫又腻，我只吃两口就下桌了，掰开电视机上的小盖儿，拧来拧去进行微调，发现有个频道在播武侠剧，男的女的头发都五颜六色，演的是仙魔二界，会施法术，有妖有神，我看得很入迷，死活不让别人换台。孙旭庭坐在饭桌旁边，瞥了一眼电视，说道，《蜀山奇侠之仙侣奇缘》，香港人拍的，是挺有意思，录像带我看过不少。我爸说，今天辛苦你了，没这天线，电视也看不了几个台。然后又给他倒满一口杯散白酒，夹了一块鸡大腿肉，说，粉条你自己盛，锅里还有呢，别外道。

他举起白酒跟我爸碰杯，嘴角吸着气，滋啦喝下一大口，又跟我爸说，哥，我做的天线，十二个罐一组，覆盖均衡，信号超强，我自己的发明创造，咱这个天线能调夹角，45度能看中央台，90度看地方台效果好，120度能看隔壁家的录像带，现在就是120度，邻居要是有打游戏机的咱也都能收着，过年时候调成45度角，中央电视台春节联欢晚会，保证一个雪花点儿都没有，李谷一站在你跟前儿唱歌。我爸说，这可见功夫，手挺巧，你懂电路啊。孙旭庭说，也是后学的，不是本职专业，我就爱琢磨。我爸说，我插队时去过你们盘锦，洋柿子好吃。孙旭庭说，行，哥，再回家我给你带柿子过来，不过也不知道啥时候能回去。我爸说，怎么的呢。孙旭庭说，厂里不放人，春节估计是回不去，生产任务重，得给小学生印教材，过完年这不就要开学了么。我爸说，那是不能耽误，教育问题必须得重视，而且教育要面向现代化，面向世界，面向未来。孙旭庭说，哥，你对社会理解挺深啊。

那天喝到夜里八点多，孙旭庭将醉未醉，被小姑拉下桌子，及时鞠躬告辞，他从拖把上取下呢子大衣，两臂一抖便套在身上，之后挥手惜别，转过头去，投入外面纷飞的大雪里。我奶望着他衣服后领处鼓出来的大包，念叨着说，刚才扑克怎么摆的来着，今年五月份好像挺顺当。

孙旭庭在紧邻建设大路的新华印刷厂上班，一线车间，两手油污，三班轮转，大年三十给放了半天假，厂里分了两袋冻虾仁、两瓶口子窖、一箱饮料和一袋面粉，他绑在自行车后座上驮过来，全送给我们家了。我奶高兴得合不拢嘴，说道，这得吃到啥时候去。孙旭庭说，大伙儿吃呗，今年我也不回盘锦，要加班，厂里分的东西没地方放。然后又从怀里掏出来一袋猪肉脯，一袋牛肉脯，偷摸塞给我，朝我眨着眼睛说，过年了，给你的，以后想吃啥，跟我说就行，咱俩之间的事儿。

我其实一点也不爱吃肉脯，便将它们塞进沙发缝里，跟着我爸出去放了好几挂鞭，蹦得满地开花，红白一片，两耳嗡嗡作响，回来吃涮锅子和炖鲤子，我奶还把孙旭庭送来的虾仁裹上面糊，反复炸了两遍，相当酥脆，我空嘴儿吃下不少，后来筷子蘸白酒，我也舔了好几口，不知不觉躺在炕里头睡过去了。等到春节晚会上的赵本山登场演小品时，外面的鞭炮声也愈发剧烈，我迷迷糊糊地醒过来，看见全家人守在没有雪花点儿的电视机旁，音量开到最大，目不转睛地看赵本山和黄晓娟演的新小品，里面有一句台词说，水是有源的，树是有根的，到电视征婚也是有原因的，兜里没钱就是渴望现金的，单身的滋味是火热水深的，打了这么多年光棍，谁不盼着结婚呢。大家听后开怀大笑，孙旭庭咂着嘴说，这小词儿，一套一套的，真硬。我爸问他，旭庭啊，厂里分的房子啥时候能下来。孙旭庭说，哥，马上的了，过完年就能给我，以前橡胶四厂的家属楼，套间，南北朝向，不把山不封顶。我爸说，行，好歹得有个地方，老住独身宿舍可不行，以后更不方便。孙旭庭说，哥，放心吧，差不了，人格担保。

孙旭庭的人格担保并没能迅速奏效，他和小姑还没等到顺当的五月份，便在印刷厂的职工食堂办了婚礼，当天摆了十五桌，菜很硬，桌桌都有一道炖大王鱼，来的人也很多，他们之前没有预料到，只好又临时加两桌，人多厅小，看起来就十分乱套，满地油污，乌烟瘴气。婚礼当天我是花童，负责提着小姑婚纱的一角，他们敬酒时，我也得跟着走，这点让我很不耐烦。孙旭庭，或者说我的姑父，他在盘锦老家的一些朋友也赶过来送祝福，跟他的父母紧挨着坐，看起来有点拘束，整场婚礼都在不停地抽自己卷的旱烟，十分呛人，到他们桌敬酒时，我被熏得差点昏过去。

那时我比桌子高不出多少，拎着蚊帐一样的婚纱晕头转向，双目恍惚，只能听见上方传来的声音。有人说，豹子，新婚快乐，早生贵子啊。也有人说，豹子，以后是沈阳人儿了，有出息。还有人说，豹子，以后好好过日子，洋柿子给你带过来了。我心里想，谁是豹子啊。然后抬头一望，在喷吐出来的层层烟雾里，孙旭庭眯缝着眼睛，正仰头将满杯白酒一饮而尽。

结婚之后，小姑暂时搬去孙旭庭的独身宿舍住，我只去过一次，在勾廉屯，属于市区边缘，需要换两辆公交车才能到达。我们去的那天，我妈脸色灰白，神情焦虑，左手提着一筐鸡蛋，右手拉着我，在车上被挤得满头大汗，后来还有点晕车，别提多遭罪了。下车后，我们坐在马路牙子上休息了好半天，胃里的酸水直往上返。

孙旭庭的独身宿舍是二层小楼中的一间，外层红砖砌筑，屋顶大四坡结构，铺了水泥瓦，走进楼里能感觉到一阵阴凉，楼梯旁边的墙上写着四个血红的大字：禁止喧哗。我们大气也不敢出，七转八拐，才找到他们的家。孙旭庭给我们开的门，我们进去一看，屋内空间确实很小，也就十几平米，只摆了一张折叠餐桌、两把电镀椅子、一张双人床和一个电视角柜，小姑正躺在双人床上吃果丹皮，见我们来也没有起身，吃吃地笑着，电视里播放着译制片，叽哩哇啦，有些吵闹。我妈把那筐鸡蛋递给孙旭庭，并嘱咐他说，每天两个，溜达鸡下的蛋，营养绝对足，下面条或者熬粥里，千万别炒着吃，那就白瞎了，营养成分都破坏了。

再后来，小姑的肚子一天比一天大，我妈私下托了朋友给她做检查，检查过后，大夫给孙旭庭手里塞张纸条，他和小姑默默走出医院，坐上十四路公交车，经过十站地，回到我家里。孙旭庭把纸条递给我妈，说，嫂子，大夫给的。我妈说，那是给你的，你给我带回来干啥。他听后一愣，舔舔嘴唇，轻轻展开那张被汗水洇湿的纸条，盯着看了半天，勉勉强强辨认出来一个弯曲的对号，于是问我妈说，嫂子，对号是啥意思呢，是确定怀上了的意思吗？我妈说，对号就是儿子。孙旭庭说，哦，儿子，儿子，我操，我儿子要来了。

我的表弟出生之前的两个月，小姑又搬回娘家，跟我们住在一起，在此之前，她已经不去工厂上班了，一方面是她所在的配件三厂效益很差，经常拖欠工资，另一方面她本身对于在生产线上当工人也毫无兴趣，于是找关系办理停薪留职，每天涂脂抹粉，打扮得花枝招展，开始去百货商场站柜台，挺着肚子卖二手的广东时装。小姑面容姣好，天生能说会道，很适合做推销工作，所以业绩颇为出色，但卖衣服每天需要拿着挂钩取上取下，还要踩板凳、叠衣服、掖裤脚、改尺寸，眼看着小姑的肚子渐大，做这些动作都不是很方便，于是跟领导请求调离岗位，转而去卖炒勺灶具。没过几天，我家就用上了宫廷紫铜火锅，小姑说是因为业绩优异，部门领导奖励的，那个锅子很精致，也很厚重，中央铜盆颇有分量，外箍圈有好几条镂刻的龙，煤气盆儿坐在底下点着时，那些龙就像是在火里来回游动，杀气腾腾，而放在锅里面的酸菜会变得鲜嫩、翠绿，宛如春季。

生我表弟的那天中午，小姑正在陪我看《西游记》电视剧，看到唐僧化缘时，我们忽然都很想吃白菜挂面卧鸡蛋，我奶去厨房刚把白菜切好细丝，小姑在屋里已经疼得吱哇乱叫，我吓得连忙跑去厨房打报告，我奶慌了神跑进来，说，这也没到日子呢啊。小姑疼得咬着牙对我喊，疼死我了要，快他妈把孙旭庭给我叫回来，我要杀了他。

印刷厂距离我家隔着四条街，去印刷厂的这条路我并不陌生，但自己走还是头一次，我在路上走得很快，心里也着急，到后来甚至跑了起来，也不管交通灯是红是绿，呼哧带喘地跑到印刷厂。到了之后，我才想起来，自己根本不知道该去哪里找孙旭庭。我在门口拦住好几个人，问他们认不认识孙旭庭，他们都摇头，问我是哪个车间或者哪个班组的呢，我说我也不知道。我满头大汗，口干舌燥，不知如何是好，呜呜呜地哭起来。这时，我看见门口的展示板上挂着一排照片，都戴着大红花，孙旭庭也在其中，第三排最后一个，笑得很腼腆。我立即拉住一位路人，央求着他带我去找照片上的这个人，他说，先进工作者啊，午休呢，不一定在，我把你领过去等他吧。我在他们班组的休息室等待，绕着沙发上蹿下跳，过了有一会儿，孙旭庭才踱着步走进屋来，那时他刚刚吃完午饭，眼皮耷拉着，打了几个很响的饱嗝，正准备放下饭盒去跟人去打扑克，见到我后猛然一惊，问我怎么来了，家里是不是有事，小姑还好吗。我上气不接下气地说，快回家吧，我小姑要杀了你。

我们跑回家时，隔壁邻居已经蹬着倒骑驴把我奶和小姑送往医院去了，于是孙旭庭给厂里打电话，求人借来一辆面包车，拉着我们直奔医院，这一路上，孙旭庭始终紧紧地拽着我，浑身发抖，嘴唇青紫，双手冰凉。刚一下车，他的两腿不听使唤，迈不动步，一下子便跪在地上，试了好几次都没能顺利站起身来。这时候，我奶和小姑刚刚赶到医院门口，搀扶着翻身下车，缓缓走过来，小姑手里还夹着半根黄瓜，指着他笑话说，孙旭庭，瞅你那副德行吧。他一见我小姑，腿也好了，三步两步，赶忙奔过去，摸着小姑的大肚子说，还疼不疼。小姑说，阵痛，懂不懂，隔一阵儿一疼，别着急，等我吃完这根黄瓜，估计就又要疼了。话音未落，她便瞪大眼睛，呼吸急促，开始转着圈地拧掐孙旭庭的胳膊，同时发出阵阵凌厉的骂声与喊叫。

我表弟生下来时不到五斤重，浑身皱巴巴，头发稀少，哭得很凶，直到满月时，他才完全睁开眼睛。表弟不爱喝母乳，只吃奶粉，几个月便突飞猛进，身强体壮，比同龄孩子还要大一圈，脑袋尤其突出，看起来可以存贮许多知识。孙旭庭给我的表弟起名叫孙旭东，很多人说这个名字不好，跟你犯同一个字，听起来不像父子，反而像哥俩儿。孙旭庭说，你不懂，我有我的寓意，跟儿子就得当哥们处，心连着心呢。

我表弟出生一周之后，孙旭庭便又急匆匆地返回厂里上班，那时，新华印刷厂正迎来一段飞速发展期，新上任一位姓郝的女厂长，以前是沈阳卷烟厂的二把手，现在调过来当一把手了，很有魄力，雷厉风行，敢想敢为，不止印刷教材和字典，还在社会上揽来许多社科类畅销书籍的印制工作，厂内业务繁忙，气氛火热，日夜开工，各级工种福利待遇都有上调，勾兑的汽水儿随便喝，午饭天天都有溜肉段。为了提高工作效率，郝厂长甚至漂洋过海从德国进口来一台印刷机，试图与国际接轨，运到厂内拆箱之后，大家傻眼了，对他们来说，这些只是一堆零碎的铜铁零件，甚至连螺丝和安装图纸都没有。郝厂长紧急联系卖家，对方说倒是可以联络技术人员过去协助，但至少要在几个月后，还需要一笔不菲的服务费用，但接来的项目是不等人的，合同上白纸黑字写着完成期限，郝厂长下了军令状，说不管哪个生产团队，只要能在最短的时间内让这台新买的机器运转起来，每人给涨两级工资，表现优异者考虑升至技术管理岗位。

孙旭庭听说此事后，几乎每天住在厂里，跟同班组的四五个人废寝忘食地钻研，一起琢磨该如何组装这台庞然大物。他们先请了变压器厂的专家，将德文说明书翻译成中文，结果发现毫无用处，完全是一腔废话，后来又自费去了趟北京，住在地下室里，每天去北京印刷学院请教机电工程系的教授，教授看完说明书后，又研究了半天他们拍的图片，打了好几通电话，然后把他们请到办公室来，倒好茶水，说道，你们这种刻苦钻研、热情上进的主人翁精神十分可嘉，我也很受感动，但是恕我直言，你们厂子在处理一些问题时，可能略有草率，德国的印刷机确实质量好，在世界上来说，技术也处于领先地位，他们最好的印刷机名叫海德堡，闻名遐迩，是这几个字母，这个你们听说过没有，没听过也不要紧，来，你们再仔细看看带来的这份说明书，发现差异没有，你们买的这个不是海德堡，名牌上也不是德语，是花体的汉语拼音，我琢磨了两天才反应过来，不信你们试着拼一下，波一奥，鲍，对，你们买的是鲍德海牌印刷机，我查了一下，内蒙古包头的企业，总经理姓鲍，我估计这机器是出口转了一圈，最后又落回到你们手里，也算出口转内销了，机器是真机器，主要部件也不缺，就是技术有点落伍，属于前苏联的款型，齿轮、凸轮、链轮和滚筒都是上一代的样式，坏了都不好修配，照我看来，好像没什么进一步组装的必要了，即便组装好了，日后的动态保养和静态保养也都成问题。同去的工友听后顿时有些灰心，孙旭庭上前一步，眼神恳切，坚定地握着教授的手说，您还是教教我们怎么组装吧，这么大的机器不能瘫着，技术过不过时我不懂，能干活就行啊，厂子里的人都指着它干活吃饭呢。

回到印刷厂之后，他们又花了一周的时间，几经反复，终于勉强将鲍德海牌印刷机组装完成，当天午夜时分，机器首次加油润滑空转，震颤不停，发出一阵一阵波浪式的热量，像是要推动附近的事物使之远离，孙旭庭和工友们岔开双腿，站定机器两侧，架起手臂，昂头挺胸，让机器散发出来的温度将身上的汗水烘干。

机器正式启动之前，郝厂长特意举办了一次剪彩仪式，直接在车间里铺上红地毯，两旁摆彩色气球，并安排专门的摄影师给她照相。她先跟鲍德海牌印刷机合影，又跟每个组装机器的员工握手，点头致谢说，同志，你好，同志，你辛苦了。厂里的宣传部门为此特意撰写一篇报道，刊登在那一期的《当代工人》上面，讲述敢闯敢拼的郝厂长带领工人们排除艰险、克服万难，最终征服进口机器巨兽的故事，过程跌宕起伏，耐人寻味。孙旭庭拿着发表出来的杂志给我们全家人看，整篇文章里只有一句话提到他，“印刷车间工人小孙暗地里对郝厂长竖起了大拇指，他心里想，不愧是我们的厂长，巾帼不让须眉”。

工友普遍涨了两级工资，其中一位还提为班长，孙旭庭有自己的打算，他报告科长说自己不要工资。科长说，旭庭，你当完劳模，还想当雷锋啊，好好好，真是我们车间的优秀典型，明年咱们大门口还挂你相片。孙旭庭说，我不当雷锋，我要找厂长。科长说，厂长有工夫见你么，有啥事儿先跟我汇报。他有点不好意思地嘟囔道，科长，橡胶四厂的套间还没下来呢，答应我快两年了。科长说，怎么说呢，你是功臣，组织上还是有考虑的，回去等信儿吧。孙旭庭说，科长，回不去了，媳妇闹得太凶，独身宿舍的钥匙我都给你带来了，要不我就得住你办公室了。

临近分房之前，又出现一些变动，本来说好的四楼，在最后关头又换成顶楼。科长对孙旭庭说，你们小年轻，爬一爬楼没关系，四楼让给老同志，你发扬一下精神。孙旭庭问，顶楼是几楼。科长说，六楼，其实也不错，清静，开阔，登高望远，也不招蚊子，那边风景独好。孙旭庭问，如果我不要呢。科长说，你不要，有的是人要，我明白地告诉你，换是换不了，四楼已经搬进去了，或者你可以等下一批分房，但能分到几楼，谁也说不好，此一时彼一时啊，到时候你别后悔，后悔也别来找我。

思来想去，孙旭庭还是领回六楼的钥匙。橡胶四厂的家属楼临近齐贤街，灰色水泥墙体，窗户半封闭，一层楼梯上去，左右两侧共住十户，长长的走廊挂在外面，栏杆里则堆积着花盆、儿童三轮车与酸菜缸，每户的门上挂着细密的塑料珠帘，一推开门便哗啦哗啦地响。

孙旭庭扛上来几袋沙子和水泥，开始装修新家，刮大白、换灯管、刷墙围，还借钱给我小姑买了一套带梳妆台的组合柜。整间屋子格局不错，南北通透，景色也好，推开窗子便能看见冶炼厂耸入云霄的雄伟烟囱。唯一的缺点是地面处理得欠妥，孙旭庭在重铺地面时，将氧化铁颜料掺在水泥里，按照他预想的效果，这样刷出来的地面会有黯淡的红色，显得高雅而整洁，但没想到，来帮忙的朋友谁都没有经验，氧化铁颜料的调和比例有问题，没能很好地融在水泥里，最后刷出来的地面像一张大花脸，到处都是不均匀的红道儿，看起来十分抽象，他只好又买来地板革铺在上面，但即便如此，他也还是不死心，每隔几天便揭起一角，打着手电朝里面看看，期望着时间会将那些红色的氧化铁均匀涂抹开来。

小姑带着我表弟回到新房里住下，孙旭庭的父母也从盘锦赶过来，以舍不得离开孙子为理由，开始在这套新房里生活。一家五口人，守着五十平左右的房子，在当时条件也算过得去，但各类矛盾也一一涌现。小姑的脾气不是很好，吃不惯婆婆做的饭，也看不上婆婆做的家务，经常就争吵起来，吵到后来也没个结果，但她自己在家又什么都不做，每天只躺在床上聊电话、打毛衣、摆扑克，或者出去给头发做造型，今天小波浪，明天又变成大波浪，有一次她染了满头的金黄卷儿，很时髦，像外国的洋娃娃，连我都要认不出来了。

即便是在表弟上幼儿园之后，小姑也没有上班，在家里无所事事，但每次回娘家时，又都会跟我奶抱怨大半天，说婆婆做饭埋汰，不讲卫生，为人奇怪，她讲，婆婆的拿手菜之一是将淀粉用水搅开，再下油锅里，煎成黑糊的一片，再撒把白糖，我在一旁听了都要吐出来；然后又说公公半夜打婆婆，打得嗷嗷直叫唤，半扇楼的人都能听见，搞得第二天她都没脸出门；还有一次，她跟婆婆吵得很厉害，争吵的原因是要不要给水龙头安上过滤嘴儿，后来发展到相互对骂，什么难听的话都说了，她气得真的举起水瓶想砸过去，婆婆顿时吓傻了，灰溜溜地关门走掉。小姑说，她就是欠收拾，我给她收拾卑服就好了。我奶担心地说，要不你还是上班或者干点啥吧，成天在家待着，太闲，打得这么热闹，你们俩人都有毛病，你的毛病我看主要是闲出来的。

小姑许多年没有工作，出去上班没地方要，一来二去，又跟以前在百货商场的小领导联系上，领导出钱投资，二人合作，临花鸟市场租了个门市，开了一家茶叶店。小姑负责看店，按比例提成，有段时间里，我总去小姑的茶叶店，看她很认真地写茶叶的价格卡片，碧螺春、龙井、铁观音、毛尖，并逐一贴在玻璃罐子上。茶叶店里总有一股微苦的清香之气，很好闻，不过进店来的人，一般都只会问，有没有劳保茶？小姑为他推荐其他品种，讲清楚味道、口感与特色，他还是会说，我喝劳保茶就行，有没有劳保茶。小姑只好无奈地丢过去一个牛皮纸包，说，二两，四块钱。

茶叶店经营不到一年就关张了，原因是小领导的妻子发现丈夫在上班时间内，并没有一直坚守在工作岗位上，而是成天往茶叶店里跑，于是产生了一些不必要的猜忌。其实她完全是误会了，领导跟小姑并没有任何超越友谊的关系发生，他们只是普通的生意合作伙伴，之所以他成天往茶叶店里跑，是因为他和小姑都爱上了打麻将，天天都要打上八圈，茶叶店的柜台后面常年支开一张桌子，一百多张沉甸甸的麻将牌零散地摊在上面。

我的表弟孙旭东，小时候性格极为内向，话少、安静，但长得可爱，也非常聪明，能背一百首古诗，印刷厂幼儿园里经常拿他作为联欢会的保留节目。有一次我也去看过，表弟涂着红脸蛋，眉心一抹红点，系着领结，站在舞台中央摇头晃脑地背诵，他拉长了音调，语气里有旷古悲愁，背完李白背孟浩然，老师不给他从台上抱下来他都不带停的。

可惜小姑打上麻将之后，对这位诗词天才不闻不问，很少在家吃饭，也不再去幼儿园接孙旭东，每日沉迷在麻将之中不能自拔，她走路时双眼直勾勾的，步伐飘忽，若有所思，其实是在默默总结前一轮牌局的得与失。有一次，她跟我奶说，妈，昨天我上手三张幺鸡，我就想要摸到第四个，能上一杠，胡把大的捞一捞，结果我越摸越迷茫，脑袋里自己围着自己绕圈，牌我都不胡了，就想要幺鸡，可越想要就越摸不到，后来有那么一瞬间，我感觉自己是悟了，我想明白了，我全部的命运，或者说我后半生的主要任务，就是在等这第四张幺鸡，前三张幺鸡是你、孙旭庭和孙旭东，那么这第四个是谁呢，妈，你分析分析。

孙旭东读到小学三年级时，小姑终于等到了她的第四张幺鸡。而她的丈夫孙旭庭可能是最后一个知道这件事的人。

那时我爸单位分了房子，我们已经搬出去住，老房子腾出不少空间，小姑由于跟公婆关系不好，便以照顾我奶为理由，每周要在老房子里住上好几天。孙旭庭的父母心有愧疚，认为自己没有处理好与儿媳的关系，便离开橡胶四厂的家属楼，在附近租房住下，可即便这样，小姑仍然不爱回家。以前我爸妈的卧室被她改造成一间麻将室，拉着厚帘，摆上烟缸，人来人往，每日鏖战，最开始打两毛的，后来五毛一个子儿，再后来是一块，虽有封顶，但一晚上的输赢也要几百块，小姑凭借经验、脑筋与魅力，连唬带骗，愈战愈勇，胜多负少，每个月打麻将赢来的钱还能给我表弟缴纳学杂费和餐费，连预防针打的都是进口的。

牌打了两年多之后，忽然有一天，小姑消失了。我奶是第一个反应过来这件事的，给我爸打去电话，说，你妹妹最近怎么没过来。我爸说，估计是在医院照顾孙旭庭呢吧。我奶说，不可能，她能照顾个屁，你赶紧过来一趟，我们商量商量。

我爸没直接去我奶家，而是先提着一兜苹果去医院看望孙旭庭。大概一周之前，孙旭庭在上夜班时，由于精神不集中，没有执行规范化操作，被他亲手组建的鲍德海牌印刷机卷进去半个胳膊，据他后来自己描述，当时像被电打着了似的，脑袋是懵的，也不知道疼，整个人在空中翻了半圈，像一位体操运动员，向后翻腾一周半再接转体，最终优雅地倒在纸槽里，半边脸贴在尚未裁剪的书页上。他听见旁边很多人在喊叫，因为不知是死是活，也不知骨折的具体位置，没人敢轻易搬动，他就以如此奇异的姿态在纸槽里待了大概二十分钟，他说，那是他第一次认真阅读自己每天印的都是什么东西，那篇文章的标题是《为什么他们会集体发疯》，里面记载的是一个帕尔托的法国人，汽车修理工，长相英俊，生性浪漫，梦想是成为一名马戏团演员，想在千尺高空表演走钢丝，他还有一个朋友，名叫约瑟，是一名拖拉机驾驶员，体格健壮，热情开朗，他的梦想是成为长着翅膀的“鸟人”，渴望能像飞机一样在蓝天上翱翔，但二人生性腼腆，而且家里有老有小，所以一直没法实现梦想。忽然有一天，记录显示，孙旭庭说他记得很清楚，当地时间八月二十六日的下午，这两个法国人不约而同地开始行动起来：帕尔托撑着一把雨伞，爬上村边吊桥的缆绳，在上面摆摆晃晃地走着，而约瑟则闯进镇上的医院，爬上三楼的窗台，大声喊道：“我是飞机！我是飞机！我会飞，我想要上天！”几乎是在同一时刻，他们高昂着头颅，朝着湛蓝的天空伸开双臂。这个故事他没有看全，孙旭庭后来遗憾地跟我说，他很想知道帕尔托和约瑟的结局，也想知道到底为什么发疯，但故事的下半部分已经超越他视力能及的范畴，而当时他的胳膊还在机器里，没法翻页，而脖子又实在是无法动弹。

我爸赶到医院后，看见只有孙旭庭一人躺在床上，穿着蓝条纹病号服，胡子拉碴，看起来好像还胖了一些。我爸洗了两个苹果，递给孙旭庭一个，自己也吃一个。孙旭庭打着石膏，问我爸，哥，家里都还好不？我爸说，都挺好。孙旭庭又说，哥，你单位效益咋样？我爸说，不行，闹下岗，走好几批了，我也快了。孙旭庭说，哥，那谁，好几天没过来了。我爸打马虎眼，假装不知情，回答说，是吗，我也没看见她，谁知道忙啥呢，一天神神道道的。孙旭庭说，忙她的吧，我也没啥事。我爸说，脖子没事吧。孙旭庭说，脖子就当时扭了一下，问题不大，主要是胳膊骨折，里面得打钉。我爸说，不用截肢吧。孙旭庭说，哥，没那么严重，大夫说好了之后平常也看不出来，就是回弯儿有点费劲。我爸说，那还行，算工伤不。孙旭庭说，算，厂长特批，费用全额报销，我天天打好药，进口红霉素，放心吧，哥。我爸说，你好好休息，放宽心，身体才能恢复得快，现在你自己的身体最重要，出了其他什么事情都别去管，更不要上火，急火攻心啊。孙旭庭说，哥，我明白，身体最重要，出啥事我也不上火。

出了医院后，我爸立即骑车回家，把情况一五一十地汇报给我奶。我奶听完之后说了句，幺鸡。我爸说，啥。我奶摆了摆手，说，别找人，也别张扬，不是什么好事情，我最近准备脑袋疼，先搬去你家住几天。

过了两个多月，忽然有一天，小姑的电话打到我家里来，我妈接的，她说目前她过得挺好，正在大连学做生意呢，一切很顺利，有朋友帮衬，但现在需要借三千块钱作为周转，我妈听后有点犹豫，因为我当时要上重点中学，她和我爸又都面临下岗，三千块钱不是小数目，思来想去，最终抹不开面子，还是决定把钱给她转过去。后来才知道，小姑用这三千块钱租了一间偏僻的门市房，又添了两台二手自动麻将机，在大连开起麻将社来，并且经营得有声有色，提供三餐，二十一锅，童叟无欺，打完一锅，不管输赢，都可以在门口领两个鸡蛋回家，小姑对来打牌的那些大连彪子说，来我这里玩就是图个开心，你们能来捧场我就高兴，老实说，我也不差这点桌钱儿，经济实力我还是有的，我们家在沈阳有个养鸡场，这都是自家下的蛋，拿回去煮着吃，不要炒，那样就白瞎了，营养成分都破坏了，这个我懂。

小姑消失之后，变化最大的是我表弟孙旭东，虽然小姑在身边的时候，也很少管教他，但这一走后，孙旭东好像变成了另外一个人，不像从前那般安静、乖巧，渐渐暴露出顽劣、蔫儿坏、为虎作伥的另一面，成绩直线下降不说，还经常惹是生非，抽烟、逃学、打仗、顺手牵羊，他样样精通。此外，我听人说过不止一次，孙旭东最大的爱好就是扒同学裤衩，不分男女，一视同仁，尤其是在夏天，他会装作若无其事地经过你身旁，身子一沉，忽然下蹲，拽着裤衩使劲往下一扯，然后扭头疯跑，非常下流。这种行为使得他不仅被同学、老师狠揍，也被孙旭庭狠揍过不知道多少次，但他却仍然不知悔改，乐此不疲。有段时间里，没人敢走在他身边，学校里的同学见他走过来都躲得很远，但即便如此，还是抵挡不住他搞突然袭击，在路上走着走着，忽然小跑起来，脚尖无声点地，十分狡猾，临近之时，他迈开大步，健步飞奔而至，迅速并流畅地完成下蹲、拉拽、嘲笑、跑开这一系列动作，令人猝不及防。等他上六年级的时候，已经成为远近闻名的恶棍，顶着大脑壳，肥头大耳，一身蛮力，皮笑肉不笑，所有人拿他都没办法，不过在那年夏天，他再也没有机会施展自己熟练的本领，因为校长给全校学生定了背带短裤作为校服。他很不开心地跟我说，表哥，我感觉这帮逼都在针对我。我说，没有的事情，你想太多了。

这样的状态自然没能考取重点初中，于是孙旭东按户口被划分到一个名声很差的学校，刚开学没几天，便给我打来电话，问我说，表哥，你好使不？我说，什么意思。他语气很急躁地说，表哥，认识人不，给我找一些过来。我说，要做什么呢。他说，妈的，碰上点事情。我说，到底怎么回事，你慢慢讲。孙旭东说，前天我刚到学校，就听说一个事情，初三二班有个逼，要在咱们学校立棍儿。我说，跟你有什么关系呢。他说，立棍儿不行，虽然我刚上初一，但我必须得撅他。我说，他要找你麻烦吗？他说，也没有，但我是这样觉得，在咱们学校，我虽然不立棍儿，但我们学校也不能有棍儿，有了我就得撅他。我说，为什么呢，你们又不认识他，他立他的去呗。他说，你别管了，我有我自己的思考，你就说能不能找来人吧，嗨，反正你来也好，不来也好，这场仗我是肯定要打的，谁立我撅谁，在我这儿他永远不好使。

当时由于我中考失败，转去技校念中专，正在学氩弧焊，表弟约定打仗的那天，我刚好要去考证，但在中午时，还是有点不放心，便喊了两个班级里的朋友，让他们跟我去看看到底什么情况。我们骑了半个小时的自行车，来到孙旭东所在的那所学校，将三台自行车锁在一起，绑在外面的栏杆上，另外两把多余出来的自行车链锁揣进工具箱里，以备不时之需。我们拎着工具箱走进学校，结果发现里面一片祥和，根本没有任何即将要发生一场大规模打斗的迹象，我们又在教学楼里来回晃了几圈，保安问我们是干啥的，我说是给学校实验室焊电路板，并举了举手里的工具箱，保安心领神会地点点头，说道，有手艺就是好，不愁饭吃。我们觉得莫名其妙。后来，在初一四班的最后一排，我终于找到了孙旭东，他侧着趴在桌子上，刚吃一半的盒饭摆在一旁，庞大的脑袋枕在一摞课本上，表情谄媚地说着悄悄话，一只手在底下摸着旁边女生的大腿。

孙旭东的种种恶行不断，打架斗殴不说，发展到后来，甚至组织团伙在偏僻的小道上截钱，问他截钱干吗呢，他说我这是劫富济贫。我说，那你接济谁了。他说，也没有别人,主要是我自己,搞社团需要资金。孙旭庭每天下班后，总免不了要去学校报到，回家打儿子也成为每日的课后作业。而我的表弟面对毒打，态度十分令人钦佩，既不反抗，也不逃避，表现得相当顽强。忽然有一天，孙旭庭照例抡圆膀子殴打，可没打几下，便觉得气力耗尽，身心俱疲，只丢下一句，这他妈的，皮也太厚了吧，像谁呢。然后推门出去换啤酒，他站在小卖店的门口，想着如果自己那天晚上能提起些精神，左胳膊便不会搅到机器里，那样的话，现在打得也会更有力一些，效果可能也会更好。他拎着两瓶啤酒刚转过身来，便看见小姑正从路边的出租车里钻出，前座还下来一个穿着黑皮夹克的男人。孙旭庭一言不发，假装没看见，迈着大步上楼回家。

小姑跟在他身后上楼，走到三楼时，轻轻喊了几声。孙旭庭犹疑地扭过头来，故作惊讶，跟我小姑说道，回来了啊。小姑说，回来了。孙旭庭说，还行，知道回来，待几天啊？小姑说，待不了几天。孙旭庭说，没地方的话，就住家里吧。小姑说，我回来就一件事，咱俩把手续办了吧。孙旭庭想了想说，不行，我没整明白呢，这前前后后，到底是怎么个情况呢。小姑说，你不用明白，离了吧，这样对你不公平。

进屋之后，小姑又说，好聚好散，不要那么倔，人生很长，我们都有各自的路要走，互相陪着走过一段，已经是很好的事情了，我先收拾一下衣服，你再仔细想想。孙旭庭没理她，转身对屋里的孙旭东说，儿子，走了，咱俩今晚下饭馆去。膀大腰圆的孙旭东从里屋走出来，看也没看小姑，大摇大摆，跟着孙旭庭径直摔门而去。

孙旭东吃了两屉烧卖，喝了一碗羊汤，说外面还有事情要摆平,便跑掉了。孙旭庭独自喝了两杯白酒,三瓶啤酒，然后一步一晃地往家里走。他想，如果自己到家时，她还没走，他就一把抱住她，像一些电影里演的那样，不过紧接着要说点什么，他还没想好。他回到家门口，拧动钥匙，推门进去，发现小姑已经走了，屋子的里里外外都被收拾过一遍，散发着洗涤过的清洁气息，柜子里他和孙旭东的衣物被分别叠放好，厨房里洗手池被刷出白亮的底色，洗好的床单被罩挂在阳台上，正往下滴着水，而地上的椭圆形阴影正一点一点向着周围扩张。

离婚一周后，孙旭庭的父亲去世，他给我爸打来电话，说，哥，我离了。我爸说，知道，不赖你。他又说，哥，你还是我哥不。我爸说，我还是你哥。他说，哥，我爹没了，我没办过丧事，想让你过来指导一下。我爸说，行，你记住，丧事成不成功，主要就一点，就看你的盆儿摔得碎不碎。

出殡当天，我和我爸凌晨四点多钟就赶过去了，天还黑着，灵堂设在屋里，烟气弥漫，两侧碗口粗的红蜡烛烧到了底儿，我表弟往长明灯里倒油，倒了大半碗，举着透明油桶跟我说，看见没，我爷这是干部待遇啊，用的是金龙鱼。孙旭庭红着眼睛从屋里出来，神情木讷，行动迟缓，雇来的执事者在他耳边说，差不多到时候了，可以准备出发，于是我们一起下楼。我表弟打着灵幡走在最前面，孙旭庭捧着黑白遗照紧随其后。走到一半时，孙旭庭好像忽然想起来什么，又跑上楼去，我们也连忙跟他回去，看见他从兜里拽出一条红绳，一头儿将他母亲的腰捆住，另一头儿系在暖气片上，他母亲在极小的范围内焦虑地来回走动，像一条被暖气片牵着遛走的宠物。他跟我们说，这是我家那边的规矩，刚走一个的话，另一个也得拴住，不然也容易溜过去做伴。

到楼下之后，执事者先安排好亲友的站跪位置，冲着天空打了两朵白花，纸钱缓缓下落时，他掏出打火机，燃着两张黄纸，问孙旭庭说，盆儿呢。孙旭庭愣在那里，眼神呆滞，没有答话，经人提醒后，忽然反应过来，说，盆儿，有，准备了，忘带下来了。于是又急忙跑上楼去，我们等了半天，才看见他捧着一个咸菜罐子下来了，说，盆儿又找不到了，咱就用着这个吧，我爸也不挑，让大家久等了，我刚把里面腌的咸菜腾出去。

执事者只好又点燃两张黄纸，塞进咸菜罐子里，然后跟孙旭庭说，我说啥你说啥，大点声儿，有点气魄，来，把盆儿举起来。孙旭庭跪在地上，盯着执事者，气运丹田，断喝一声，把盆儿举起来。执事者说，这句不用喊，做动作就行。孙旭庭连忙将咸菜罐子举过头顶，黄纸在罐子燃烧得很快，几缕黑烟从里面袅袅升起，偶尔也有黄蓝色的火苗冒出，像是蛇吐出来的信子，一股浓重的焦糊味道弥漫开来。执事者说，跟着我说啊，爸，三条大道你走中间。孙旭庭说，爸，三条大道你走中间。执事者又说，爸，五条大河你莫拐弯。孙旭庭说，爸，五条大河你莫拐弯。执事者说，儿孙送你大半程。孙旭庭说，儿孙送你大半程啊。执事者说，来，最后一句，憋足劲儿——别忘常回家看看。孙旭庭再次运足了气，带着哭腔喊道，别忘常回家看看。执事者说，行了，摔吧。孙旭庭将咸菜罐子往下一砸，大概是由于他下跪的方位不对，膝盖的正前方是一条雨后的软塌土路，咸菜罐子落在土路上时，只发出一声低沉的闷响，如同一记硬拳打在胸口上，之后便毫发无损地弹开，在场的人全都愣在那里，眼睁睁地看着咸菜罐子落下又弹起，冒烟转着圈儿，像一颗拉动开关的手榴弹，三转两转，最终滚落到灵车底下。

孙旭庭只身趴进灵车下面，费了很大力气，将咸菜罐子单手勾出来，他爬出来时满头汗水，脸上被烟熏出好几道黑印，衣服上全是脏土，样子十分不堪，表情也很僵硬、尴尬，他似乎很想展露一点略带歉意的笑容，但最终还是失败了。执事者说，老爷子还挺顽固，这么的吧，现在车少，咱们去马路旁边摔。于是我们所有人又都换了个位置，面对着电线杆子跪在马路边上，孙旭庭颤抖着再次高举咸菜罐子，所有的人心都揪了起来，心里盘算着，如果这次还没摔碎，那还能换到哪里去呢。就在这时，后面等待的人群里忽然爆发出几声浑朴而雄厚的外地口音叫喊，豹子，豹子，碎了它，豹子。开始是零星的几声，像是在开玩笑，但其中也不乏热忱与真诚，然后是更多的声音，此起彼伏地嚎着为他鼓劲儿，豹子，能耐呢，操，豹子，使劲砸，豹子，豹子。到了最后，连我爸也跟着喊，豹子，盘锦豹子，他妈的给我砸。

孙旭庭双手举到最高处，咬着牙绷紧肩膀，凉风吹过，那只行动不便的残臂仿佛也已重新长成，甚至比以前要更加结实、健硕，他使出毕生的力气，在突然出现的静谧里，用力向下一掷，震耳欲聋的巨响过后，咸菜罐子被砸得粉碎，砂石瓦砾飞至半空，半条街的灰尘仿佛都扬了起来，马路上出现一个新鲜的大坑，此时天光正好放亮，在朝阳的映衬之下，万物镀上一层金黄，光在每个人的脸上栖息、繁衍，人们如同刚刚经受过洗礼，表情庄重而深沉，不再喊叫，而是各自怀着怜悯与慨叹，沉默地散去。我表弟向着灰蓝色的天空长嚎一声，哭得不省人事。

葬礼结束之后，孙旭庭的母亲心灰意冷，决意离开沈阳，回盘锦养老。孙旭庭向单位打报告，要求换岗位，由于受过工伤，在此之前他已经被调离印刷车间，不再从事一线生产工作，转而在装订车间做些零碎的活计，这次他又向领导提出要求，说装订车间没什么活儿，赚钱太少，不够维持父子二人的基本生活，想转行去做销售工作，领导劝他留在原车间，说销售可不好做，没有底薪，全靠提成，现在市场不好，你又没什么资源，很难做起来。但孙旭庭执意要去，领导便也只能放行，并叮嘱他说，你可得想好，依照目前厂里的情况，出去之后，再回来可就难了，好自为之吧。

那段时间里，可以想象，孙旭庭家里的经济状况十分紧张，刚开始的几个月里，尽管他每天骑着自行车东奔西跑，但一单也没有签成，所有的广告公司都有固定客户，而本地的出版社也都不十分景气。直到三个月之后，他终于在郊区某个低矮的库房里签下第一单，三千套全彩印刷，还带覆膜，按照单位的提成制度，这一单能为他带来大概六百元左右的收益。签约成功后，他把合同展平，仔细放进印着“天下第一关纪念”的公文包里，反复检查确认没有折角后，骑着车往单位走，郑重地向领导递上合同。下班时，他又找到从前的几位工友，在一起喝了顿酒，直至半夜，才醉醺醺地回到家里，而那天也是他第一次发现，我的表弟孙旭东那么晚还没有睡觉，正在台灯下面写写画画。他揉了揉眼睛，简直不敢相信眼前的场景，他问我表弟说，孙旭东，你干啥呢。表弟说，我在做题。他又问，什么题。表弟说，老师留的作业。他一把抢过来表弟的作业本，借着台灯的微弱光芒，醉眼朦胧地检查半天，然后质问道，这个 SAS 你写错了吧，应该是 SOS。表弟说，SOS 是救命的意思，这个 SAS 的意思是，两边和夹角对应相等的两个三角形全等。几个月之后，我再见到孙旭庭时，他很得意地问我知不知道什么是 SAS。我说，知道啊，萨斯么，非典型肺炎，可他妈邪乎了，喘气儿就能传染。他说，不对不对，这个你表弟都知道，还给我讲过，具体是啥我记不全，但好像是什么什么两个三角形全等。

那场葬礼结束后，孙旭东仿佛换过一身新血，将亲手组建的犯罪团伙拆散，全身心地投入到学习生活之中去。

虽然他十分刻苦，但无奈基础较差，导致在中考时发挥不佳，没能考取重点高中，孙旭庭坚持不让他去读技校，转而去普高继续念书，准备三年之后再战高考。孙旭庭说，不管怎么说，还是得有知识，有知识才能武装自己，趁我现在能供得起，能多读一天是一天。

孙旭庭确实可以供得起，他的境况正在一点点变好，虽然尚未迈入小康阶段，但个人的印刷业务却日益繁盛，作为销售人员，其业绩可圈可点，每月提成相当于从前工资的两倍。很久之后，我才知道孙旭庭为印刷厂接来的项目，并不是印刷书籍，而是印皮子。所谓皮子，就是盗版光盘的封面，一个半小时的超长 VCD，用化浆的废纸壳去印封面，红男绿女，饱和度极高，再覆膜后裁开，成本很低，很快就能印出来，而且也有一定的发行数量，那几年印刷厂没像其他工厂那样有大批员工下岗，可以说孙旭庭对此亦有一定贡献。我在表弟家里发现了上百张皮子的样品，有《龙在天涯》《监狱风云》，也有《肉蒲团》《不扣钮的女孩》，我翻来覆去仔细检查，拆开又再合上。孙旭东跟我说，哥，别翻腾了，没用，我早都检查过了，全是皮子，里面一张碟也没有。

孙旭庭刚开始在印刷厂做销售时，打不开局面，走投无路，恰好碰见从前搞录像带出租的老板，孙旭庭作为多年之前的亲密客户，熟络地攀谈起来，当时老板已经不做录像带了，改作 VCD 光盘租赁，经他牵线，孙旭庭跟在郊区灌录盗版 VCD 的作坊取得联系，并签订合同，持续为其提供封面印刷，后来 VCD 日渐式微，他们又开始印 DVD 的皮子，长条形，大开本，高档塑封，全是外国字儿，片子很深刻，据说大部分都是讲人性的电影。孙旭庭带回家看过一部，他本以为是交谊舞的教学电影，想照着练习一下，强身健体，没想到是个黑白片，开场是一群牛从棚里涌出来，接下来的好几分钟也是这群牛，同一个镜头，走过来又走过去，他看着看着很快便睡着了，醒来之后发现电影还没有结束。

孙旭庭知道贩卖盗版光盘大概是非法的，但不知道给这些光盘印皮子也不行。所以当郝厂长找他去谈话时，他也很困惑。那是他第二次跟郝厂长近距离接触，上一次是鲍德海牌印刷机启动时，他们亲密握手并拍照留影。这一次，郝厂长招呼他坐在沙发上，先是给他沏了一杯茶，闷上盖子，然后坐回到老板椅上，跷起腿来，露出一截长着老年斑的脚踝，语气有些沉重地对他说，我记得你，孙旭庭，你是我们厂子的功臣。孙旭庭说，谢谢厂长，记性眼儿真好。郝厂长接着说，这次的事情，想必你也听说了，上边派人查下来了，目前给我两个选择的，认罚或者认关，就是要么关掉厂子，要么交人罚钱，该怎么选，我征求一下你的意见。孙旭庭举起茶杯，揭开杯盖，嘘声啜饮一小口，舌头却被烫到，他缩回身子，又把茶杯放回去，不解地说，厂长，我犯法了吗。郝厂长皱着眉头说，这么说吧，我认为是没有犯法，不然我也不能同意让你们开印，但具体涉不涉及法律，我说了也不算。孙旭庭说，不好意思，得让厂里挨罚了。郝厂长说，不怪你，都有责任。孙旭庭说，厂长，水有点烫，等晾凉点儿，我喝完这杯就去自首，茶叶不能浪费。郝厂长说，不用自首，人已经过来了，你跟他们走一趟吧。

一老一少两个警察，在印刷厂的多功能厅里等待，他们坐在靠墙边的绿色连排塑料椅子上，一支接着一支地抽着烟。孙旭庭走进去，朝着他们点点头，又退出来，两个警察跟着走出来，他们一起去车棚里取出自行车。孙旭庭跟在老警察后面，小警察又跟在孙旭庭后面，三人一起骑着车去往轻工派出所。路过红绿灯时，老警察停下来，掏出一盒烟，抖出来两颗，自己一颗，又递给后边的孙旭庭一颗。拢火点着之后，老警察指着街边新开的酒店对小警察说，看见没，我爸上个月过生日，就在这家饭店办的，六百八十八一桌，还有南极籽虾，冰镇的，肚子溜儿鼓，我寻思这个肯定有营养，连扒好几个，结果我外甥说，大舅，擦一擦，你嘴边都是受精卵，这他妈给我恶心的，这个小瘪犊子。小警察和孙旭庭听完之后，一起笑了起来。

几天之后，我和表弟孙旭东一起去接孙旭庭回来，印刷厂的罚款缴纳得很及时，警察跟孙旭庭说，看你家庭条件也挺困难，自己带孩子不容易，还是初犯，下不为例吧。然后便把人放回来了，从派出所出来后，孙旭庭发现怎么也找不到自己的自行车了，叹着气楼前楼后绕着找了好几圈，仍然一无所获，最后只好坐在孙旭东的自行车后座上。我的表弟驮着他的父亲骑了一整路，上坡之后是下坡，之后又是一条刚刨开的土路，底下埋着好几条黑色的管道，还有施工的工人在朝上看。表弟蹬得很吃力，弓着背向前猛踹脚蹬子，孙旭庭佝偻着腰坐在后面，神情拘谨，脚面微微抬起，看起来有些滑稽，以他的身高，如果不蜷起来，鞋底就一定会趿拉到地上。到家之后，孙旭庭终于松了口气，跟我说，嘿，在派出所上班的，待遇就是好，能吃得起在南极养出来的虾。

第二年，我表弟孙旭东参加高考，大综合考试，不分文理，一共九门课，他共计取得三百零二分，成绩不算理想。我问他说，这个分数能去啥学校？表弟说，不爱念了，没啥意思，不是那块料儿。孙旭庭在一旁说，念吧，儿子，再复读一年，咱能供得起。此时孙旭庭已经与印刷厂彻底脱离关系，由于胳膊行动不便，也没有其他从业经验，很难再找到合适的新工作，于是他花去大半积蓄，将楼下的彩票站兑下来，以贩卖彩票为生，每天在墙上的黑板更新上一期的开奖号码，三十五选七，3D，大乐透，品种很丰富，我每次去也都买几张碰碰运气。

所有人都没想到的是，经营彩票站期间，孙旭庭居然迎来一份迟来的爱情。彩票站隔壁是盲人按摩，里面一共三位技师，其中一位女师傅也是彩票爱好者，姓徐，人很瘦，长相一般，但挺白净，短头发，看起来利索，三十八九岁，没结过婚，人们都管她叫小徐师傅。小徐师傅属于先天弱视，确诊时已经过了最佳治疗期，视力基本等同于丧失，只能看清事物的轮廓，平时戴墨镜，拄拐杖，话不多，比较文静。她在工作时穿着一身白大褂，而去彩票站时，却总要换另一身衣服，公私分明。每次去彩票站里，她总要贴在黑板前面，才能看见前几期的数字号码，可如果她贴得那么近的话，又很耽误旁边其他人的观看和分析，于是她只能很不好意思地恳请孙旭庭帮她念某几期的号码，然后她用点字笔记录下来，再回到店里慢慢思考，过去大半天，她又换一身衣服，再次来到彩票站，谨慎地打出几个号码，小心翼翼地揣进口袋里保存起来。孙旭庭觉得小徐师傅有意思，做事仔细，眼睛虽然看不大清，但还挺顾及别人的。碰上阴天下雨，他的胳膊和颈椎不舒服，也会去按摩店找小徐师傅做推拿，一来二去，他们聊得很投缘。小徐师傅说，你以前是印刷厂的，家里肯定有很多书吧。孙旭庭说，是有一些，我偷着拿回来留着垫桌子的，自己倒是没咋看过。小徐师傅说，那有空你带来，给我念念。

孙旭庭真的带到彩票站一本，书名叫《名家经典美文》，选了其中一篇，读得磕磕绊绊，小徐师傅皱着眉头说，太难听了，你以后还是给我念彩票号码吧。没过几天，孙旭庭的肩膀受风抬不起来，去找小徐师傅调理。正按着按着，小徐师傅低声跟孙旭庭说，下次别过来了，怪费钱的，还得给老板分成，你再想按的话，我上你家去给你按吧。孙旭庭红着脸，支支吾吾地说，不好吧。小徐师傅说，你不用有什么负担。孙旭庭说，我是没负担，一穷二白，主要是怕耽误你。小徐师傅说，我自己有数，不用你管。

彩票站的生意不算好，孙旭庭有一次找我出主意，问我在哪能定做横幅，我问他要干什么用呢。他说，最近生意不好，需要刺激一下，你帮我做个横幅，上面就写：本站彩迷朋友刘先生喜中福利彩票二等奖，奖金五十万元，让我们对他报以真挚的祝福。我说，不愧是干过销售的，心思挺活，行，我给你整一条去。

做好条幅的那天正是周末，我取回来后给送到彩票站，蹬着梯子帮忙挂在招牌底下，两边用硬铁丝固定住，风吹过来，红底黄字的条幅轻微摇晃。孙旭庭抬头看着说，刘先生，点子正啊，羡慕，你要是中五十万的话，准备拿这钱干啥。我想了一下，然后说，那我就不干电焊了，刺激眼睛，买个标儿，去开出租车，剩下的存银行里，你呢。孙旭庭说，我全都存银行里，吃利息。

谁也没有想到，条幅挂好之后，迎来的第一位顾客，竟然是我的小姑。别说孙旭庭，就连我都已经有很多年没见过她了，逢年过节，她基本不会回来，这几年更是连电话也很少打，只听说她的麻将社生意一开始做得不错，后来规模也有所扩张，但终归是懒人，疏于打理，没过多久，便将麻将社又兑出去，专职从事打麻将，从大连打到广州，坚持穿着貂打，后来从广州又打到成都，再从成都又打到首都北京，筹码越来越大，对手也越来越狡诈，现在又回到自己的家乡，不知道是不是还要继续打下去。

小姑掀开彩票站的塑料门帘后，先是微笑着朝我摆摆手，我一开始还以为是来买彩票的顾客。坦白讲，我确实认不出她的模样了，这些年里，她大概胖了有一百斤。小姑穿着一件棕色大衣，把自己裹得严严实实，整个人像一只灌满水的木桶，行动十分笨拙，她小心地横步挪动着自己浑身的肉，仿佛每走一步，肉都要漾出来一般。她的体型虽然变化很大，但却依然伶牙俐齿，她先是巡视一圈彩票站，然后坐在桌子后面，对孙旭庭说，买卖做得挺大啊，公益事业，福利彩票，给自己积德了。孙旭庭问她说，你来有事啊。小姑也不说话，拿出一盒刮刮乐，埋头挨张刮开，刮完全部一百张后，她吹掉桌子上的灰，拎出其中的几张说，有十块，也有五块的，总共六十五，兑奖吧孙老板。孙旭庭从兜里掏出一百元递过去，说，我求求你，孙旭东今年在复读，你要是有点良心，就赶紧走吧。小姑把一百元撇到一旁，说，连玩笑都开不起了，我问你，咱俩离婚几年了。孙旭庭说，离婚多年了。小姑说，我碰见难处了。孙旭庭又说，我们离婚多年了。小姑说，这个事情，其实我也可以不回来跟你讲的。孙旭庭说，我们离婚多年了。小姑说，最近生意不好做，大环境不好，资金有些转不开。孙旭庭说，我们离婚多年了。小姑说，所以我在外面借了一些小额贷款。孙旭庭说,我们离婚多年了。小姑说，我押的是你家房子的房证，之前我回来收拾东西时，顺手把房证也带走了。孙旭庭说，我说我怎么一直找不到，还以为丢了。小姑说，没别的事情，贷款我自己会还，没经任何手续，你家房子谁也收不走，不用担心，等我还完了钱，房证就还给你。孙旭庭说，你办的这叫什么事啊。小姑说，不管怎么说，事情已经发生了，我也是实在没有办法，当然，我也不指着你能理解，恨不恨我的，都无所谓，我就是过来跟你说一下，最近这段时间里，怕有人要找你们麻烦，按理说应该不会，但我还是要来跟你说一声。

我记得那是在三月份，刚过完年不久，我的表弟孙旭东重配了一副度数更高的眼镜，并在学校里迎来又一次的百日誓师大会，所有人的脑门青筋暴露，举着拳头要奋斗一百天，而表弟书桌上去年的标语还没有撕掉：披荆斩棘，看我旭东决胜高考；立马横刀，唯我旭东俯视群英。

那天清晨，孙旭庭起床很早，在厨房慢火熬了一锅小米粥，又挑出来几根咸菜，切了两片香肠，孙旭东吃过之后出门上学。孙旭庭看了半个小时静音的电视节目，才转进屋去，轻轻唤醒前一天工作到很晚的小徐师傅，两人一起吃过早饭。饭后，孙旭庭刷干净碗筷，小徐师傅洗净双手，抹上雪花膏，穿好白大褂，准备一起下楼开工。孙旭庭在门口蹲下来，给小徐师傅穿鞋子，小徐师傅说，我想了一下，我以后还是不要买彩票了。孙旭庭说，该买买呗，咱自己家的生意，成本低，你也没什么其他爱好。小徐师傅说，买了好多年，也没中过大奖，没那命儿，还是省下点钱，你儿子还要考大学，我们现在这种关系，多多少少我也要出一点力。孙旭庭说，考上再说，实在不行房子一卖，我住彩票站去。小徐师傅说，总归不是办法。孙旭庭说，我有的是办法。小徐师傅说，房证还没要回来。孙旭庭说，明天我就去挂失，说弄丢了，补办一张。小徐师傅说，你啊，什么都不懂，房证丢了是要登报纸的，也要好多钱。孙旭庭说，什么逻辑，我房证丢了还得告诉全市人民一声啊。小徐师傅说，你啊，什么都不懂。

我的表弟孙旭东给我讲述了那天后来发生的事情。百日誓师大会结束之后，他忽然就不想再念书了，而且非常坚定，刻不容缓，对书上的每一个字都绝望透顶，他溜出学校，骑上自行车转了几圈，然后决定回家跟孙旭庭好好谈一次，人生有很多条出路，他在这条弯路已经徘徊很久，如果再执迷不悟下去，对所有人来说，都只能是一种持续的负担。他骑回到家楼下，将车锁好，刚迈上几层楼梯，便听见上面有动静，橡胶四厂宿舍的走廊在外面，他站在三层的缓步台抬眼向上看，发现有两个不认识的人站在他家门口，他觉得有点奇怪，便又往上走两层，再抬头一看，发现孙旭庭搀着小徐师傅刚刚出门。其中一位陌生人走过去问他，你是姓孙不？孙旭庭说，对。陌生人又问，叫什么玩意来着，孙旭庭是不是？孙旭庭说，是我，找我有啥事。陌生人说，没啥事，就过来看看，来找个人儿。孙旭庭说，屋里没人了，你要找的人也不在这里。陌生人说，那我看看你家房子，行不，就随便瞅一圈。孙旭庭顿了一下，说道，行，你稍等，家里乱，我稍微整理一下。陌生人说，太客气了，谢谢哥们，主要看看户型。孙旭庭扭头开门，走进屋子，留下小徐师傅孤零零地站在走廊上，她不敢迈步，也不敢说话，孙旭庭那条僵硬的残臂从她怀里抽去之后，她一下子变得无所依靠，身前身后空空荡荡，风吹过来，塑料珠子门帘哗哗作响。孙旭东在楼下虽然有些迟疑，但仍继续迈上台阶，待他走上六楼时，在走廊的另一端，他看见他的父亲，也就是我的姑父孙旭庭，咣当一把推开家门，挺着胸膛踏步奔出，整个楼板为之一震，他趿拉着拖鞋，表情凶狠，裸着上身，胳膊和后背上都是黑棕色的火罐印子，湿气与积寒从中彻夜散去，那是小徐师傅的杰作，在逆光里，那些火罐印子恰如花豹的斑纹，生动、鲜亮并且精纯。孙旭东看见自己的父亲手拎着一把生锈的菜刀，大喝一声，进来看啊，我操你妈，然后极为矫健地腾空跃起，从裂开的风里再次出世，小徐师傅跟随着他的声音伸出手去，想要将他拽住，却又扑了个空，跌倒在地上。孙旭庭怒吼着直奔两个陌生人而去，他右手里的菜刀似乎刚刚冲洗干净，在半空中甩动的时候，还散落几滴晶莹的自来水珠。两个陌生人掉头就跑，楼梯另一侧的孙旭东匆忙侧身让开，之后他的父亲便扑过来，像真正的野兽一般，鼻息粗野，双目布满血迹，他拼尽全力一把搂住失控的父亲，孙旭庭撞在儿子怀里，两人跌落在楼梯上，打了好几个滚，但始终紧抱在一起。两人落地后，孙旭庭几番挣扎想要起身追赶，却被他的儿子死死搂住，不敢放松，我的表弟几乎是哭着哀求说，爸，不要追了，我求求你，不要再追了，爸啊，爸。孙旭庭昂起头颅，挺着脖子奋力嘶喊，向着尘土与虚无，以及浮在半空中的万事万物，那声音生疏并且凄厉，像信一样，它也能传至很远的地方，在彩票站，印刷厂，派出所，独身宿舍，或者他并不遥远的家乡里，都会有它的阵阵回响。终于，力竭之后，他瘫软下来，躺在地上，身上的烙印逐渐暗淡，他臂膀松弛，几次欲言又止，只是猛烈地大口喘着气。这时，小徐师傅的哭声忽然从头顶上传过来，他们父子躺在楼梯上，静静地聆听着，她的哭声是那么羞怯、委婉，又是那么柔韧、明亮，孙旭东说，他从来没有听见过那么好听的声音，而那一刻，他也已看不清父亲的模样。

肃杀

我爸下岗之后，拿着买断工龄的钱，买了台二手摩托车拉脚儿。每天早上六点出门，不锈钢盆接满温水，仔细擦一遍车，然后把头盔扣在后座上，站在轻工街的路口等活儿，没客人的时候，便会跟着几位同伴烤火取暖。他们在道边摆一只油漆桶，里面堆着废旧木头窗框，倒油点燃，火苗一下子便蹿开去，有半人多高，大家围着火焰聊天，炸裂声从中不时传出，像一场贫寒的晚会。他们的模样都很接近，戴针织帽子，穿派克服，膝盖上绑着皮护膝，在油漆桶周围不停地跺着脚，偶尔伸出两手，缓缓推向火焰，像是对着蓬勃的热量打太极，然后再缩回来捂到脸上。火焰周围的空气并不均衡，光在其中历经几度折射，人与事物均呈现出波动的轮廓，仿佛要被融化，十分梦幻，看得时间久了，视线也恍惚起来，眼里总有热浪，于是他们在放松离合器后，总要平顺地滑行一阵子，再去慢慢拧动油门，开出去几十米后，冷风唤醒精神，浪潮逐渐消退，世界一点一点重新变得真实起来。

拉脚儿没有固定价格，全靠协商，普遍规则是，先问客人要去什么地方，然后一撇嘴，说那地方可不好走，得五块钱。客人说，别扯了，最多三块钱，我都去多少回了。最后勉为其难地说，三块就三块，上来吧，给你跑一圈，权当交个朋友。客人说，行，稳当点儿。

夏天坐摩托车的较多，车沿着大道开起来，头发被风梳在后面，两侧的景色飞速后移，袖口里灌进几分凉爽，满目生机；冬天生意相对就差一些，天气冷，风嗖嗖地刮起来，像一把刀子，不仅割在脸上，也钻进膝盖缝儿里，落下的全是硬伤，另外就是路面也不好走，积雪数月不化，到处冰凌，不好把握平衡。

我爸赶上的年月不好，青春期下乡，中年又下岗，本想顺应时代洪流，成为其中微不足道的一员，但到最后才发现，只有自己四处碰壁。刚开始拉脚儿的时候，又赶上是冬天，整天也没几个客人，在外面干受冻，成天吸溜着鼻子，运气好的时候，一天下来，能剩三十来块钱，运气差的时候，也就十几块。转过年去，开春之后，天气变暖，境况也有所好转，中小学生爱睡懒觉，经常来不及上学，又舍不得钱打出租，便都来坐摩托车，经济实惠，速度也快，赶得上升旗仪式。那阵子我爸心情不错，已经断了小半年的烟酒，又给自己续上了，一天半盒黄红梅。

从礼拜一到礼拜五，摩托车都能维持生意，但周末就比较惨淡，很多人选择骑自行车或者坐公交车出行。我爸在周末也比较清闲，通常会驮着我送到补课班，然后回来跟那几个骑摩托的朋友打扑克，消磨时间，偶尔挂点小彩儿。玩牌的间歇，他们会问我爸，送你儿子去学啥特长了，练琴呢。我爸说，没学特长，补课呢，学数学和英语。他们说，怎么还得补课呢，学习跟不上了啊。我爸说，能跟上，提高班，学校老师办的，不去的话，课堂上对你家孩子没好脸儿。他们说，这不合理，变相收费。我爸说，唠这些没有用，都是心甘情愿，钱都没少花，但孩子以后能学成啥样，说不好。他们劝我爸说，好好培养，学吧，肯定有出息，学外语，以后能当翻译官。

有一天下午，刚打完两圈扑克，我爸抖抖肩膀，准备点根烟，倚在后座上休息一下，这时走过来一个男的，朝着这几个骑摩托的摆手示意，年纪大概四十岁出头，佝偻着背，眼眶很深，嘴唇乌紫，挺瘦，皮肤松弛，脸上的皮也耷拉下来，他穿着棕色皮夹克，裤腰带上挂着一串钥匙，走起路来稀里哗啦乱响，还没走到近前，便扯着嗓子喊，我要去五里河，有能走的没。

摩托车拉脚儿一般都是近道，十分钟以内的距离，五里河较远，位于青年大街南边，横跨两个区，公交车也要十七八站地；骑摩托过去的话，要走南八或者两洞桥，这两个地方经常有警察出没，躲在桥墩底下，见有骑摩托的经过，便紧跟着追上去，抓到就扣车罚钱，没得商量，一般没人愿意走，怕产生不必要的麻烦。所以那人问完之后，大家互相看了看，都很犹豫，没人接话，我爸随口问一句，那么老远，你能给多少钱啊。他说，你说多少吧。我爸想了想，说，那边总有警察蹲点儿，跑一趟风险挺大，至少也得二十。他说,二十块钱,那我还不如再添点钱打出租呢，十五，能走就走，我主要是有点着急，你们摩托能突能钻，能打游击战，灵活，跑得快，估计不能耽误我事儿。我爸心里一横，说，反正现在也没活儿，十五就十五吧，给儿子赚补课费，你上来吧。

刚开出去几步，我爸顶着大风跟他喊道，我得提前跟你打个招呼，你不能坑我，一会儿要是遇上警察，你就说咱俩认识，是老朋友，一起串门去，千万别说我是拉脚儿的，这车要被扣，那我可废了，我还得指它过日子呢。他在后面回应道，放心吧，咱俩对好台词儿，我姓肖，小月肖，肖树斌，以前面粉厂的，在食堂里颠大勺。我爸说，面粉厂啊，现在效益也不行了吧，我以前是变压器厂的。肖树斌说，鸡毛效益啊，厂子都黄好几年了。我爸问，那你这大中午的，去五里河要干啥呢。肖树斌说，我看球去啊，沈阳海狮，今天新赛季的第一个主场，我观摩一下。我爸笑着说，观摩，这词儿用的，你是领导呗。肖树斌说，领导谁啊，你看我像是咋的，面粉厂下岗后，我去海狮队上过几天班，在他们食堂做饭，相互比较熟悉，也有点感情。我爸说，听说海狮今年请来一个南美外援守大门。肖树斌说，对，你平时也是看球啊，那赶巧了，新来的叫里能达，秘鲁国家队待过，我今天主要看看他发挥咋样。我爸说，弹跳应该挺好。肖树斌说，美洲人么，身体柔韧性都不错，你看蝎子摆尾那个，哥伦比亚伊基塔，后背一挺，能打对折。我爸说，今年能保级就行。肖树斌说，保级问题不大，但得往长远点展望，年年保级年年保，有惊无险又一年。

我爸一路骑得两腿生风，肖树斌坐在后面，高出我爸半个脑袋，双目逼视前方，不断地规划、指挥、督促，统率全程。他们穿过陡坡、桥洞和红灯，飞跃泥潭与坑陷，与长途客车并驾齐驱，在比赛开始之前，顺利抵达五里河体育场门口。肖树斌扬腿下车，摘下头盔，表情严肃，凝望着赛场外沿灰色的水泥高墙，几绺被汗水浸透的头发贴在头皮上。他颇为郑重地将头盔连同十五元钱一起递给我爸，提议说道，没啥事一起看球呗。我爸说，今天不行，还得接孩子，以后有机会的吧。

那天晚上，我爸从补课班把我接回来，将摩托存在车库里，又用干抹布掸去表面灰尘，然后去楼门口的小卖铺换啤酒，门口正好碰上肖树斌，他坐在板凳上一边剔着牙，一边跟我爸点头打招呼，昏黄的路灯之下，他半张着嘴，头发凌乱，看起来古怪而又狰狞。我爸跟他说，回来了，还挺快。肖树斌说，还行，坐别人的面包回来的。我爸说，今天赢没？跟谁踢的？肖树斌说，零比零，大连万达，踢得还行，扑险球了，你没看可惜了，今天罗西都去了，就那个撇家舍业的全国第一球迷，总戴个鸡巴牛仔帽，老活跃了。我爸问，你住咱们变压器厂宿舍么，以前没见过。肖树斌说，不住这边，住对面东药宿舍，刚换的房子，单间，搬过来没多久，那边小卖铺里没电视，我过来等着看体育新闻。我爸点点头，走进去拎了两瓶啤酒，肖树斌手里捏着牙签，笑着朝我抬抬下巴，说，你儿子啊？我爸说，嗯，我家的。肖树斌接着问，多大了。我爸替我回答说，十一了。肖树斌盯着我看了一会儿，音调忽然挑高，对我说道，还夹个公文包呢，小样儿挺爱学习呗。我爸说，补课刚回来，也不爱学，爱看电视，你家是儿子还是闺女。肖树斌说，也是儿子，不爱学习，写作业费劲，我给他送体校去了，培养他踢球呢，司职主力前锋。我爸说，那有发展，以后最次也是李金羽。肖树斌说，目前来看，就是个头儿差点，还没长起来，技术那是一点儿问题也没有，过人跟玩儿似的。

此后的两三个月，每逢沈阳海狮的主场比赛日，肖树斌都会坐我爸的摩托车去体育场看球。有几次还拎着一柄长长的旗杆，旗面在前端卷折起来，肖树斌坐在后面，将旗杆斜着提至腰间，远看像一杆红缨枪，到体育场门口后，他翻身下车，劈开双腿，舒展大旗，迎风一挥，开始吼唱队歌，缓步入场，他的嗓音低沉怪异，旗子上写的正是其中两句歌词：我们的海狮劈波斩浪，我们的海狮奔向前方。

那阵子，各行各业对足球重燃热情，单位机关均设有球迷协会，有一次，我们学校组织去看沈阳海狮队的比赛，给球队加油助威，我也报名参加。我爸听说我要去，提前跟肖树斌说，这礼拜儿子他们学校组织看球，我也跟着去凑个热闹，顺道儿免费给你拉过去。肖树斌听后很兴奋，推心置腹地反复提醒我爸，千万要记得，你来看球，必须带着下岗证，下岗职工有专门看台，持该证在正规售票处买票，只需一块钱，不然至少也得五块，没有那个必要。

那场是沈阳海狮对阵深圳平安，上半场我们的后卫陈波先进一球，李玮峰在下半场头球扳平，几分钟之后，海狮的王牌外援里贝罗再度帮助球队反超比分，全场气氛达到顶点，高唱一条大河波浪宽，气势浩荡。四面看台基本全部坐满，我们前面的方阵坐着的是炮兵学院的，穿着军装，帽子放在膝盖上，坐得笔直，一片汗流浃背的浅绿色，他们玩人浪时很有秩序，齐刷刷地起立，然后再坐下，看不出层次，却博得不少欢呼；正对面是本地最大的球迷协会，他们要么穿着黄色队服，要么光着上身，极具激情地敲锣打鼓，纸屑和彩带漫天飞扬；而在西侧球门后身，则是相对稀疏的下岗工人看台，我爸也在其中，他们大多穿着深色衣服，站得很松散，不聚堆，全场基本没坐下来过，双手揣在裤兜里或者抱在胸前，深沉观望，每个人好像都是一副随时准备转身离开的样子，只有肖树斌在那里孤零零地挥舞着大旗，像茫茫大海上的开拓者，劈波斩浪，奔向前方。

那天比赛结束之后，肖树斌死活不让我们回家，非要请客吃饭。我们跟着他来到球场附近的一家饭馆，肖树斌将旗杆贴着墙根放好，举着菜单问我爱吃啥，我说啥都行。他点了一盘尖椒干豆腐，一盘溜三样，一锅脊骨炖酸菜，又拌了个老虎菜，并叮嘱老板要往上面多倒点儿辣椒油，然后他拿起两个扣在桌上的口杯，跑到后厨里接回来两杯白酒，跟我爸说，尝尝这个，绿豆酒，纯粮食酿的，有甜味，不缠头。

肖树斌情绪高昂，手舞足蹈，话也很多，先是跟我爸聊本场比赛的战术安排与球员表现，又对后面几轮海狮队的整体形势做了一些预判分析。两杯白酒下肚，球场上的事情已经聊尽，我爸问他，我看你好像没跟孩子一起住。肖树斌说，离了，孩子跟他妈呢。我爸说，那你活得挺自在，看球喝酒，一人吃饱全家不饿，没有负担。肖树斌说，咋没有，赡养费每个月得给吧，你是不知道，孩子踢球开销也很大，买断工龄给的那点钱，花得基本不剩啥了。我爸说，你那是不愿意干，你有做饭的手艺，不怕找不到活儿。肖树斌听后很高兴，说道，这个问题你看得挺透，真的，那是我不爱干，不愿意遭那份罪，我要是爱干，那还能有别人啥事，比方说吧，这干豆腐炒的，就不合格，勾芡之前必须得挂上老汤。我爸说，那还说啥，放了老汤味道就是不一样，不早了，再喝瓶啤酒漱漱口，然后我得回家了，孩子明天还要上学。

肖树斌从上衣的口袋里掏出烟盒，抖出两根烟，递给我爸一根，自己也点上，深吸几口，将烟灰弹到桌子底下，说道，着啥忙，回去也没事儿，提起做饭这方面，我有几道拿手菜，你记得前年的三驾马车么。我爸说，有印象，朝鲜过来的三个外援，挺玩命，场场踢得头破血流。肖树斌接着说，那时候我在队里当厨师，咱们海狮队在浑河旁边的沈水园拉练，这仨兄弟刚来沈阳，没怎么吃过肉，我有道菜做得很厉害，扣肘子，熬过的酱油与白糖挂色，过明油再上锅蒸，最后浇肉汁芡，里外透亮，老少咸宜，那是真解馋，他们第一次看见扣肘子时，眼冒绿光，连皮带肉地夹起一大筷子就往嘴里塞，根本不怕腻，从此之后，青菜一口不吃，顿顿肘子配戗面大馒头，有一个姓李的，吃完还跟我哭了，叽哩哇啦说一堆，我也听不懂朝鲜话啊，就拍着他的肩膀说，啊，好，行，行，知道了，好好踢，肘子有的是。我爸说，朝鲜还是困难，他们过来就相当于改善生活了。肖树斌说，后来连续吃了半个月，再也不吃了，肉类一口不碰，我估计是顶着了，队里让我想办法，调节饮食，我去西塔给他们买来几罐辣酱，这可正对胃口，他们又开始吃辣酱拌大米饭，一天三顿，吃得嘴唇红肿。我爸说，营养跟不上吧。肖树斌说，他们也习惯了，体质比较顽强，还有个事情，一般人都不知道，跟着这三驾马车一起过来的，其实还有个监管。我爸说，监管谁啊？肖树斌说，监管球员的日常生活，按照我的理解，类似于咱们监狱里的管教，训练结束之后不让球员出门，天天就在宿舍给他们放电影，全是爱国战争片，监管是个老头儿，五十多岁吧，也会说中国话，长得慈眉善目。我爸说，搁在部队里就是政委吧。肖树斌说，那咱不知道，反正就是这么个角色，我后来被开除，主要就坏在他身上了。我爸说，到底怎么回事呢。肖树斌说，他们几个来队里半年之后，相互都比较熟悉了，我跟他们每天也都打招呼，有一次晚饭过后，全队组织看比赛录像，这个监管在后厨把我喊出来，敬了根烟，聊了挺长时间，他问我家庭情况，我告诉他我儿子也学踢球呢，他说那挺好，有空带过来，让三驾马车带着踢一踢，我说那不好吧，违反队里的规定，他说朝鲜球员他说了算，都得听他的，让我放心带儿子过来，我听后还挺高兴，第二天休息日，就把儿子喊过来了，跟着三驾马车练了大半天，我儿子觉得确实有收获，我也高兴，感谢一番，到了晚上，正准备睡觉，监管咚咚咚地敲我房门，我披着衣服出去，他火急火燎地跟我使着眼色，让我别睡了，带他出去转转，我说这都几点了，商店都关门了，他说，不去商店，我说，那你要上哪去，他说，你们做饭时不经常讨论么，我还是没弄明白，就问他，我们讨论什么来着，他嬉皮笑脸地模仿我上菜时的调侃语气说，小鸡儿操大鹅，哐哐就是壳，这我才明白过来，原来他是要让我带他出去找小姐，有这种需求，咱也不好拒绝，毕竟为我儿子出力了，以后还指望着他给带进梯队呢，不敢得罪，但那天后来的事情，现在想起来，我也有一定责任，那天时间有点太晚，洗浴中心又离得很远，我就带他在附近找了个足疗店，我寻思赶紧整完拉倒，回去好继续睡觉，进店之后，老板娘拉开粉灯，小妹儿在沙发横七竖八地躺着，让监管自己选，他翻过来这个，又摸摸那个，像在市场里买鱼，挑挑拣拣好几遍，噘着嘴老也不满意，我有点不耐烦，忽悠他说，都是一样的玩意儿，你知不知道，咱们中国有句老话，两眼一闭都是张曼玉，大被一蒙全是杨钰莹，后来好不容易搂着一个进屋了，结果还没过两分钟，裤子刚脱下来，外面的警察就直接冲进来了，我脑袋嗡地一下，心想这下可坏了，钓鱼执法，根本说不清楚，监管被带出来的时候还假装听不懂汉语，满嘴叽里咕噜地喷朝鲜话，喊得很凶，各种挣扎，但也没用，照样被铐上塞警车里了，第二天下午，队里派人把我俩接回去的，屁股还没坐稳，我就被通知开除了，他妈的，真也想不通，最后给我定的罪名是影响国际关系。肖树斌自己讲得很来劲，没注意到我爸的脸已经拉得很长。正说到兴头上，我爸一挥手，说道，打住吧，当着孩子的面儿，别唠这些了。

大概半个月之后，有天我放学回家，发现肖树斌正坐在我家的阳台上喝酒，他侧着身子，手里举着筷子，满脸通红，唾星飞溅，朝我爸比划着说，这么大一个金镏子，给送过去了，就他妈让踢十五分钟，黑不黑。我爸说，没办法，培养特长就是费钱。肖树斌叹了口气，双手抱着脑袋说，这教练，太现实了，不塞钱就不让上场，一点办法也没有，真的，一点办法也没有。我爸说，都理解，我这不也一样，咬牙坚持，你再想想办法吧。肖树斌看了我一眼，说道，你儿子回来了，没事那我走了，别耽误他学习。我爸说，有空过来喝酒。肖树斌走之前，笑着跟我说，给你买小食品了，在屋里呢，得好好学啊，不能辜负你爸。我爸说，快说谢谢。我说，谢谢肖叔。

肖树斌离开之后，我和我爸隔着门听他下楼，拖鞋趿拉在楼梯台阶上，发出清脆的声音，一层又一层，他走得很慢，仿佛不知道接下来的一步要迈向何处。我问我爸说，他咋来了呢。我爸说，推不走，来借钱的，赡养费给不起了。我说，前几天我看见他儿子了，在东药宿舍那边。我爸说，哦，他干啥呢。我说，跟他爸站在外面唠嗑。我爸自己补了口酒，说，哦，没进屋呢。我说，不知道，后来我看见他儿子上去卷他一脚。我爸愣了一下，说，然后呢。我说，然后我看见肖叔被踢到的那条腿打了个弯，他一只手扶着那条腿，耘着肩膀不停地说着话，那条腿后来就那么弯着，再也没直起来。我爸听后想了想，跟我说，搞体育的，可能脾气都不好，你回屋写作业吧。

在此之前，我妈总吵着睡不好觉，只能睡前半夜，瞪眼到天亮，第二天没精神头儿，哈欠连天，又过不到半个月，她开始头疼，成天总揉着太阳穴，早先像是神经痛，一跳一跳的，挺有节奏，后来发展得比较严重，抱着脑袋起不来床，我爸半夜送去医院，拍片化验，忙得眼花缭乱，第二天专家会诊，说是脑袋里长了东西，建议立即做开颅手术。

这对于我家来说，无疑是个巨大的打击。我爸措手不及，每天东跑西走，骑着摩托出门借钱，亲戚基本求了个遍，打了一沓白条，拉脚儿的朋友也给凑了一些，最后总算把钱攒齐。做手术那天，我和我爸在门外站着等了很长时间，他把派克服盖在我身上，让我眯一会儿，我坐在医院的塑料椅子上睡不着，看着很多人推进去又推出来，门外的人们互相小声地说着话，空旷的走廊将这些低语来回反射，使其变成嗡鸣，庞杂而喧哗。

我爸也在走廊里出出进进，一根接着一根地抽烟。护士把我妈推出来时，大声喊家属，我爸正好不在，我朝着走廊喊了好几声，也没听见回应，外面太冷，我赶忙先把床接过来，准备自己推回病房。那张床很有分量，底下的滑轮也有些故障，我推得很吃力，滴流瓶子摇晃一路，手术床还磕到电梯门上，咣当一声，我妈的脑袋也跟着一晃，我爸这才匆忙从后面赶来，满身烟味，我当时十分怨恨他，情绪很激烈，差点儿也卷他一脚。

做完手术后的前几天里，我妈的视力受了一些影响，看东西模糊，像蒙上一层薄雾，生活不能自理，我爸没法出去拉脚儿，整天在医院里照顾我妈，我放学后也过去，跟他们一起吃病号饭，帮着我妈一点一点恢复，晚上跟我爸一颠一倒，睡在租来的行军床上。有一天，吃过晚饭，我一边写作业，一边听着半导体里播的新闻，女主持人说，长春流窜到我市作案的刨锛帮，目前已有三人落网，群众拍手称快。我问我爸，啥叫刨锛帮。我爸说，就是刨后脑勺的组织，趁你上楼梯的时候拿着锛子照你脑袋来一下。我说，刨别人后脑勺干啥。我爸说，抢钱，现在人都渴。我说，能把人刨成啥样？我爸说，点子正的，能直接被刨死，点子背的，一辈子变植物人。

我们都很意外，我妈住院期间，肖树斌还来探望过一次。他好像瘦了不少，白衬衫很不合身，仍趿拉着拖鞋，拎来半盘香蕉和一塑料袋国光苹果，坐在板凳上，低着脑袋，双手无处可放，讲话前言不搭后语。肖树斌先是发表一通对于医疗制度的看法，然后问我爸，弟妹恢复得咋样。我爸说，还行，再过几天就能出院了。肖树斌又问，能走医疗保险不？我爸说，能走一少部分，用的药里有很多都需要自费。肖树斌说，那你看看，医院就赚这份钱呢。我爸说，也没办法，有病不能不治，你找工作没呢。他回答说，出去找了，没找到，试了几家，都不行，我这大锅饭手法，饭店不爱要，还是不行，不够细致。我爸说，别着急，慢慢来，最近去看球没有。肖树斌说，球是必须得看啊，最近几场都关键，保级大战，没想到，买了好几个外援，最后还要在保级线上挣扎。

临走之前，肖树斌从裤兜里掏出皱皱巴巴的五十块钱，掖到我妈枕头底下，我爸上前阻拦，说，心意领了，钱不能要。肖树斌说，给弟妹的，多少就这点儿意思，刚做完手术，营养得跟上。我爸再三推辞，但肖树斌仍十分坚持，最后我爸只好收下来。我爸把肖树彬送出门，走下楼梯之前，转头跟我爸说，还有个事情，想跟你研究研究，你看方不方便。我爸说，你直说，只要我能帮上忙。肖树斌说，这几天你要是不用摩托的话，借我骑几天，我去看场球，另外，可能还要带儿子出门一趟，当郊游了。我爸犹豫了一下，有点勉强地说，也行，我倒是不骑。肖树斌说，就借三天，到时候加满油给你骑回来，保管原封不动。

第二天，医生通知我们可以准备出院，中午时候，我爸在楼上帮我妈整理行李，找大夫开药，我捧着不锈钢碗去食堂打饭，路过医院的大厅时，发现很多人都在往门外跑，有大夫和护士，也有穿着病号服的患者，他们有的跑得很快，像在冲刺，有的身体不便，缓慢地挪动步伐，但神色却十分焦急。越来越庞大的人群开始向外涌动，不知不觉，我也变成其中一员。

我被人群簇拥着走出医院，外面正下着小雨，温热的雨水落在地面上，很快又蒸发掉，不留任何痕迹，随着他人的目光，我望见马路对面有阵阵黑烟上升扩散，蓝绿色的火焰缭绕，如同闪电一般迅疾而易逝，铁的骨架在其中若隐若现。半空里火花闪现，雾气之中有触手一般的阴影来回甩动，惊恐、凄厉而无助的喊叫声也从中传来，无法分辨性别，我们所有人在路的另一侧沉默地注视着，灾难在眼前逐渐变得具体起来。

消防车赶到的时候，我已经能分辨出来那是一辆无轨电车的骨架，越来越多的雨水被蒸发掉，烟尘浓重，十分呛人，哭声停止了，更多的乌云从远处席卷而至，声势浩大，人群仍旧没有散去，像是凝滞在这场雨中。

新闻报道说，环路电车辫子脱落线网，正好搭到高压线上，辫子的牵引绳瞬时燃烧，车里的集电器发红，车内乘客毫不知情，抵达站点推门下车时，当场被高压电击倒在地，瞬间烧焦死去，总共六个人，在车门口有序地排成一行，像活着的时候一样。我心想，原来是六个人。当天很多围观者都在查数，踮脚默念，瞪大眼睛去分辨烧焦的白骨，有人数到四，有人数到五，烟尘不断袭来，他们揉揉眼睛，咳嗽着，重新查数。

三天过去了，肖树斌借去的摩托车并没有按时归还。我妈那时已经出院，在家静养，我爸准备重拾拉脚儿生意，便跑去找肖树斌要回摩托，但四处都找不到他的影子。肖树斌就此人间蒸发，这点也在我们意料之外。我妈想说又不敢说，每天在床上叹气，身体极其虚弱。

我爸尤其不能接受这个事实，他心怀善意地去揣测可能发生的各种状况，损坏、撞车、有急用、去外地未归、被警察扣留……他一遍一遍试着去说服自己，在某一天睁开眼睛时，那辆摩托车会完好无损地出现在车库里，加满了油，没有灰尘，动力强劲，但这样的事情并没有发生，或者说，类似的事情在我们身上从来没有发生过。一周之后，我爸逐渐认清被骗的事实，摩托车不知所踪，他唯一的营生无法继续，成天在家里闷闷不乐，他很后悔也很自责，怎么能轻信只是跟自己喝过两顿酒的人呢？

那时天气转凉，我正在准备重点中学的提前入学考试，每天晚上在家里做成套的试卷，翻找补习资料时，发现有几本参考书都摞在洗衣机盖子上，平时那些书都是放在我补课用的公文包里。公文包是我爸单位以前发的，棕色人造革，右下角还有个印章，上面写着“沈阳变压器厂四十周年纪念”，单边拉锁，侧面带个提手，空间很大，颇为实用。

当天晚上，我爸进门回家时，带着浑身的酒气，脸色很不好，我问他怎么又去喝酒，他没有回话，直接走回屋里。我看见他的腋下夹着我补课用的公文包，那个包比我用的时候显得要旧一些，表面上多了几道白印，里面装得鼓鼓囊囊，他将公文包很小心地收到衣柜深处。我觉得很奇怪，便趁他不注意时，假装去柜子里取衣服，伸手摸到那个公文包，其质地坚实，轮廓突出而危险，甚至能感受到皮革下面隐藏着的冷硬与锋利，这让我想起在医院时听到过的那则新闻。

那段时间里，我爸每天出门很早，非常固执地去寻找肖树斌和那辆尚未归还的摩托车。他凭借酒后残存的记忆，先是去往肖树斌儿子所在的体校，在门口来来回回地走，一辆一辆检查外面停放着的摩托车，他想，那或许意味着三十分钟的登场时间，同时，那也是他第一次知道，体校里也并非个个人高马大，也有毫无精神的孩子，像他的儿子一样，病恹恹地在操场上跑步，一圈又一圈，步伐沉重，胳膊毫无力量地垂在两侧。他在校门口搜寻未得，又跑去车库和教学楼里，警卫问他是谁，来干啥，他也不说话，夹着公文包快步翻墙离去，警卫在后面追赶，追到一半停下来，他不敢放松，仍继续跑下去，直至筋疲力尽。

肖树斌以前住的东药宿舍楼，他也去过不止一次，经常上楼敲门，不仅白天去敲，有时半夜也去，始终无人应答；他又在楼下蹲点儿，夹着包，背靠着墙，藏在楼洞里，满身白灰，一待就是大半天，一支接着一支地抽烟，附近的邻居上班时看见他，下班时发现他还在，便十分警惕，他待了几天，遭受无数的白眼与盘问，到头来一无所获。

我爸折腾了一段时间，人变得更为消瘦，精神也日益萎靡，但公文包仍不离身，我每天都提心吊胆。有天晚上我回家时，看见他自己在厨房里喝酒，模样消沉，半天才喝一口，他把我喊过去，然后说了句，一比零，我说什么，他说，倒数第二轮，今天沈阳海狮对鲁能泰山，一比零赢了，保级成功。我说，你去体育场看球了。他说，去了。我说，那你看见肖叔了吗。他说，没有。我说，摩托车也没找到。他说，没找到。我说，不要再去找了。他说，整不明白。我说，不明白啥。他摇摇头，没有说话，继续自己喝酒。后来我想通了，他不明白的大概是，一个人怎么能如此轻松地放弃自己所热爱的事物呢。

那年联赛的最后一个比赛日是在十月底，在此之前，沈阳海狮队已经拿到足够的分数，即便最后一轮输球，也没有降级风险。那天中午，我爸忽然说要带我去看球，我并不是很想去，但又不想破坏他的兴致，便跟他坐上公交车，一路晃荡着到达体育场，我在车上昏昏欲睡。在售票口买票时，我发现这次他并没用下岗证，而是买了两张正价球票。那天我们去得很早，中午刚过，便坐在看台里，位置不错，视野很好。我们等了很长时间，看着一大片阴影从东侧移到西侧，比赛开始的哨声才响起来，那是一场很沉闷的比赛，观众不多，双方踢得心不在焉，主裁判不停地看表，最终沈阳海狮与对手零比零踢平。

比赛结束时，已是傍晚，天色正逐渐暗下来，我们要赶回家去做饭，从球场出来之后，便又坐上一趟公交车，很多穿着队服的球迷也涌进来，车内一片黄色的海洋，人挤着人，声音嘈杂，我的脸几乎是贴在车窗上。我们坐的是一辆即将报废的无轨电车，自从那场事故之后，全部无轨电车都要停掉，这辆车也不例外，正在履行最后几次使命，它庞大而破旧，慢吞吞地行驶，两条长长的辫子拖在半空，在立交桥底下盘旋、绕转，车厢四面漏风，震颤得很厉害，街道在闪光，无轨电车经过两侧的饭店、练歌房和休闲中心，几处商铺正在翻修，门口堆着新鲜而潮湿的沙土，我爸站在我身后，扶着栏杆，一言不发。

那天刚刚下过一场不小的雨，我们虽然在车里，但也能感受到空气正一点一点变冷。无轨电车走走停停，走到两洞桥附近时，开始剧烈颠簸，雨后的桥底遍布泥坑，车辆由此经过，起起伏伏，像是开在弹簧上。两洞桥上方经常有火车经过，拉着树木或者钢铁，从更北的地方缓慢开来，防雨布随意地铺在上面，每次过火车，底下的桥洞里都会轰隆作响，仿佛即将坍塌一般，那天就是在这种巨大的轰鸣声中，我们再次见到了肖树斌。

肖树斌在桥底的隧道里，靠在弧形的一侧，头顶着或明或暗的白光灯，隔着车窗，离我咫尺，他的面目复杂，衣着单薄，叼着烟的嘴不住地哆嗦着，而我爸的那辆摩托车停在一旁。十月底的风在这城市的最低处徘徊，吹散废屑、树叶与积水，他看见载满球迷的无轨电车驶过来时，忽然疯狂地挥舞起手中的旗帜，像是要发起一次冲锋。

我相信我和我爸都看见了这一幕，但谁都没有说话，也没有回望。我们沉默地驶过去，之后是一个轻微的刹车，后面的人又都挤上来，如层叠的波浪，我们被压得有点喘不过气来。

车上的一些球迷也看见了那杆旗，跃跃欲动，有人开始轻声哼唱队歌，开始是一个声音，后来又有人怪叫着附和，最终变成一场小规模的合唱，如同一场虔诚的祷告：

我们的海狮劈波斩浪，我们的海狮奔向前方，所有的沈阳人都是兄弟姐妹，肩并肩手拉手站在你的身旁。

后来到站之后，电车与歌声一起停下来，很多人下车了，又上来一些，车里变得很宽松，再后来，车上的人越来越少，我们一直坐到终点站，外面的雨又下起来了。

那天之后，我爸在供暖公司找到一份新的工作，他不懂任何管线的技术，也不知道那些烧得滚烫的水要流向何处，又要怎么流回来，一切需要从头学习，他夹起公文包，里面放着笔和纸，但不到一年，便又失业了。后来，他又做过很多不同种类的工作，学着去做一些事情，很快他就变老了，这一点也出乎意料，我是说，那些年过得都很快。

我没有告诉我爸的是，那年冬天里，我在东药宿舍附近总能看见肖树斌的儿子，那个曾经的主力前锋。他皮肤白皙，长相周正，看起来倒并不比我大几岁，个子虽然还是没有长起来，但已经有女朋友了，两人住在一起，形影不离，十分亲密。那时在他身上看不出任何运动员的气质，大概已经不在体校继续踢球了，每天只是穿着一件很长的羽绒服，跟女朋友搂在一起走路，他们踏遍这附近的每一个角落，街道、铁路、市场、花园，有时候拎着白菜或者方便面，有时候两手空空。他的女朋友很瘦，半黄的头发扎得很高，化很浓的妆，总穿一条绷得很紧的黑色皮裤。

有一次下很大的雪，我看见她低着头迎面走来，独自一人，穿着过时的旧毛衣，瑟瑟发抖，毛衣上的亮片散发出黯淡的光泽；她单手捏紧松垮的领口，双唇紧闭，眯着眼睛，每一步迈得都很艰难，忽然一阵冷风吹过，树上的大片雪花落在她长长的假睫毛上，那一刻，我觉得她真是好看极了。

冬泳

我跟隋菲约在咖啡厅见面，万达广场后身，约的三点，我提前半个小时到位。咖啡厅分上下两层，周日楼上搞活动，投影仪放电影。我走上去，发现二层漆黑一片，窗帘拉严，大家坐在小板凳上，对着一面白墙，目不转睛，身体前倾，姿势不端正。楼梯旁的小黑板上写着电影的名字，我盯着看了半天，总共四个字，其中三个我都不认识，就认识一个鸟字。我站在最后面，看了不到五分钟，便退出来，又闷又热，透不过来气，电影也看不明白，提琴配乐，一惊一乍，拉得我脑袋嗡嗡的。

我脱掉外衣，窝在沙发深处，店里的女老板走过来，跟我说，有埃塞俄比亚的咖啡豆，新上的，要不要尝一尝。我说不了，怕坏肚子，总觉得非洲埋汰。她问我，那你喝点啥。我说，这样，你先给我来一杯白开水，我等朋友呢，她到了，我再一起点，放心吧，来都来了，肯定消费。

女老板收起饮品单，又端来一杯水，我捏着杯沿举到嘴边，温度太高，喝不进嘴儿，便又放下来，盯着它看，热气缭绕，屋内人不多，但空调开得挺足。我看了一圈挂在墙上的电影海报，全是外国字，没一个看过的，便掏出手机，给隋菲发了一条信息：我到了，一楼沙发，不急。

等了半天，她也没回我，手机马上没电，我收进怀里，又在书架上找了本书，胳膊拄在沙发扶手上，开始翻书，刚看两页，困意袭来，眼睛睁不开。半梦半醒之间，听见旁边桌的一对男女在说话，他们跟女老板好像挺熟，男的对女老板说，最近生意怎么样？女老板说，一般，平时晚上也不行，就指着周末呢。女的又问，能回本不？女老板说，费劲，现在来的都是粘夹儿，一杯咖啡能坐半宿，有的刚喝一半，就让你续杯，我说咖啡不能续，他说不用兑咖啡，往里倒点热水就行，你家太甜，我口淡。

不知过了多久，我听见对面有挪动椅子的尖锐声音，便试着睁开眼睛，光线很强，一时还不太适应，只见一团模糊的黑影坐在我对面，然后跟我说，等着急了吧。我伸个懒腰，揉揉眼睛，说，还行，几点了。隋菲说，快三点半。我打个哈欠，说，困了，昨天夜班，没休息好。隋菲说，要不你接着睡吧，补补觉。我说，现在精神了，唠一会儿，别白来，你想喝啥。

隋菲向女老板询问半天，最后点了一杯美式咖啡，我告诉女老板，我也要一杯一样的。隋菲问我，你平时爱喝咖啡吗？我犹豫了一下，然后说，爱喝，尤其是上夜班时，咖啡比较提神，还解乏。隋菲说，我也爱喝。我说，是不是，有共同爱好。隋菲说，你总来咖啡馆吗。我连忙说，总来，每个月不来几次，我浑身难受，真的。

我说的句句属实。三十五岁一过，安排相亲，已经成为我父母最紧要的一项事业，我的家庭条件还可以，父母退休，旱涝保收，身体健康，没有负担，但个人条件一般，主要是个儿矮，穿鞋勉强一米六五。最近一年，我大概见过二十个女孩，高矮胖瘦，中专大专，各种型号款式，应有尽有。相亲这件事情，对我来说，日益熟练，手拿把掐，但对我父母来讲，却开始变质，他们已经忘却初衷，忽视过程与结果，转而深陷于统筹规划的游戏里，每周为我安排时间，定时定点，错峰出行，催我去相亲，有时一天能见俩。

下午两点半的咖啡馆，相亲首选，这是我历经一年总结出来的经验。这个时间段，通常已经吃过午饭，双方坐一会儿，喝两杯饮料，没有额外开销，成本可控。如果没相中，一拍即散，没啥损失；假如聊得比较好，到了四五点钟，还可以直接一起吃晚饭，继续加深了解。但自从相亲以来，我只跟对方吃过两次晚饭，其中一次，吃完饭后就散了，嫌我烟抽得太勤；还有一次，开始时比较顺利，聊得愉快，女孩是替亲戚看鱼塘的，我们相处一个多月，期间又见过两次，一起去吃过冷饮，我还特意买一副渔竿，去找她钓鱼，几乎每天都发信息，后来把能说的都说完了，我认为这种情况就可以谈及下一步，准备结婚，对方告诉我这种情况是处到头了，应该吹了。

隋菲看着比照片要老一些，眼角皱纹明显，头发带着小波浪，远看有层次，近看像好几天没洗过，穿着一身深色毛衣，灰白坎肩，上身整得挺素，底下穿个皮裙，长款皮靴箍着小腿，裙子和皮靴之间露出短短的一截灰色裤袜，材质好像挺有弹性，接近于衬裤。

隋菲说，我本来不是特别想来，我妈非让我来的。我说，我也是，咱不勉强，走个形式，坐会儿就行，我也没指着非得怎么怎么样。隋菲说，你这么说，我压力也小一些，咱俩到底是谁介绍的呢，没弄明白，你知道不。我说，知道，兴顺街有个卖奶的，长啥样不知道，总围着一条大纱巾，天天下午四点多钟，骑着三轮车，吹着口哨，拉两大罐鲜牛奶过来，我妈总去那里打奶，说是新鲜，当天现挤，你妈有时候也去，他俩跟卖牛奶的都挺熟悉，一来二去，卖牛奶的对我们彼此情况都有所了解，所以就牵了根线儿。隋菲点点头，说，那你住得离我妈家挺近。我说，应该是不远，你没跟家人住一起。隋菲说，没有。我说，挺好，自由，愿意干啥干啥。隋菲说，好啥，我跟我妈没法一起住，老干仗，处不来。我说，处不来，但是还得处，接着处，往死里处，这就是血缘关系。隋菲笑着说，总结得挺好，我的情况你知道不。我说，一知半解。她说，离异，有孩子，归男方。我说，男孩女孩啊。她说，女孩，快上学了。我说，挺好，老话讲，闺女是妈的小棉袄儿。她说，跟我一点都不亲，爱臭美，谁给买衣服就跟谁，整天围着她爸后找的转，气我。我说，孩子小，长大了就好了，谁也不行，还得是亲妈，母女连心。隋菲说，你啥情况，我还不知道。我说，我啊，没结过婚，新华电器的，普通工人，三班倒。隋菲说，待遇不错吧。我说，不行，到手两千五百八，但保险上得挺全，单位比较正规。隋菲说，也行，自己够过。我说，一般化。隋菲说，你们厂子是生产啥的。我说，这个说来话长，经营项目比较复杂，我刚去的时候，是做电褥子的，生产长条儿的电热元件，后来几年，暖气烧得都挺好，就不做这个了，给我安排去连接器车间，干印制板，焊爪簧，应用挺广泛，这几年，厂子规模逐渐扩张，接不少新项目，有的产品还能用在武器上呢，属于军工企业。隋菲说，好单位，需要保密不。我说，保啥密，想告诉别人，都不知道说点啥，我去了就是干活儿，别人咋说咱咋干。隋菲说，挺好，省心。我说，听介绍人说，你在医院上班。隋菲说，以前在，化工厂医院，当护士，现在不了，状态不好，休长假，半年没上班了。我说，也行，好好休息。

我们正聊着，楼上传来一阵响动，我们抬头看去，狭窄的楼梯上涌出十几个人，互相沉默着走下来，表情深沉。隋菲看着他们，问我说，这是干啥的。我说，楼上周末有活动，放电影，现在应该结束了。隋菲问我，啥电影啊，看得都挺沉重。我说，叫什么鸟来着，四个字儿，什么鸟怎么怎么地。

我推开咖啡馆的门，与隋菲告别，门上的铃铛在身后一阵乱响，很好听。隋菲照着玻璃捋几下头发，然后问我要回哪里。我其实挺相中她，长相好，气质佳，说话也不招人烦，于是特意留个话头儿，说也没啥地方去，自己转转，问她有没有推荐。隋菲说，没有，要不陪我走到前面吧，好打车。我说，那行。走到路口，等了半天，也没有出租车过来，我说，要不一起吃晚饭，搭伴吃，能多点俩菜。隋菲想了想，说，那也行。

两瓶啤酒下肚，我又点了根烟，心情不错，跟她说，你是第三个。隋菲说，啥。我说，相完亲一起吃饭的。隋菲说，主要我回家也懒得做。我说，做完还得收拾，麻烦，不值当。隋菲说，你会做饭不。我说，别的不行，做饭还可以，酸菜炖牛肉，滑溜里脊，家炖三道鳞，都是绝活儿。隋菲说，学过厨师啊？我说，没有，就是愿意琢磨，愿意做，但做完自己不愿意吃，愿意看别人吃。隋菲说，有机会尝尝。我说，你这话也不实诚，很多事情，没有必要说开吧，今天吃个饭，咱们都挺高兴的，回头一散，谁也不打扰谁，也挺好，我再去你家，或者你上我家来，做顿饭，那不像话，关系到不了那一步。隋菲说，你挺现实啊，没看上我呗。我说，主要是你来了就说那话，本来不想来啥的，听着不对，明显是没看上我，我这人比较随和，谁看得上我，我就能看上谁，看不上我的，我也不上杆子，那不是买卖，我有啥说啥。隋菲说，那你还想说啥。我说，我还想说，我根本就不爱喝咖啡，喝完睡不着，我就爱喝老雪，闷倒驴，劲儿大，喝完回家蒙大被一睡，爱鸡巴谁谁。隋菲听后捂着嘴笑，我说你乐啥，隋菲摇摇头，说，有那么好喝吗。我说，好喝，这酒有回甘，喝完回回口干。她继续笑，然后朝着服务员举手，说，再来俩，我也陪你喝一瓶。

我打车送隋菲回家时，已是半夜，我喝了不少，走道发飘。她住的小区较新，附近荒凉，住户不多，几乎没有亮灯的，开到附近，隋菲让司机停下，我也跟着一起下了车。隋菲转头问我，你下来干啥，直接坐车回去呗。我说，送你走几步，有点喝多了，想见见风，吹一吹，能好受点儿。隋菲说，别合计歪门邪道。我说，你放心，我不是那种人。隋菲说，那你是哪种人？我说，你看不出来么。隋菲说，看不出来。我说，那你眼神儿不行。隋菲说，正经的，我都到了，你回去吧。我说，今天吃饭花多少钱。隋菲说，没事，我请你。我说，这个不好，吃饭花你钱，总觉得欠你点啥。隋菲说，有机会还的。我说，有么。隋菲笑了笑，说了句，你先回去吧。我便在路灯底下停住，看着她穿过马路，走进小区，然后又转过头来，跟我挥挥手，我也挥挥手，想朝着她和她身后的黑暗喊一句什么，但张了张嘴，始终没喊出来。

我到家之后，头晕得厉害，没去卫生间洗漱，直接上床，准备睡觉。我妈听见动静，进到我屋来，皱着眉头说，没少喝啊。我说，还行，有点困，睡了。我妈说，别，今天情况怎么样。我说，就那样。我妈说，到底咋样，你说一说。我说，明天再说。我妈将我脑袋底下的枕头抽出来，告诉我说，不行，现在就得说，不然我睡不踏实，人家对你啥态度。我坐起来，靠在床头，想了一会儿，说道，怎么说呢，不反感。我妈说，那你什么态度。我说，我也不反感。我妈说，不能吧。我说，什么不能。我妈说，这个结过婚的，还有个孩子，这礼拜没别的安排，让你去是锻炼锻炼，保持状态，你俩不能对上眼了吧。我说，相亲还锻炼啥，你天天到底合计啥呢，妈。我妈说，不让你去好了。我说，别管，这个挺好，兴许能处上，最近不见别人了，我睡了，明天再说。我妈表情懊悔，垫着手转身出门，一步一步，走得很慢，低声念叨着，这事儿整的，这事儿整的。

隋菲问我，你觉得我长得怎么样？我说，听实话吧。隋菲说，实话。我说，再年轻几岁，算是比较透溜，能挺撩人儿，现在一般，但是对我来说，绰绰有余了。隋菲说，还他妈挺拿自己当回事儿。我说，自己都不把自己当回事儿，谁还能把你当回事儿。隋菲说，有事儿求你。我说，我尽可量办。隋菲说，我想我闺女了。我说，想就去看。她说，那家人不让。我说，那没办法了，派出所去告他们，能行不。她说，够呛能管。我说，那你有啥办法。她说，你帮我去一趟幼儿园，趁着他们午间活动，照几张相片，给我看看。我说，能行吗。她说，有啥不行，不偷不抢不拐卖，拍照又不犯法。我说，那你自己咋不去。她说，我怕跟那家人碰上，以前就有过这种情况，要是他们再把孩子转到别的园去，以后就更找不到了。

我骑自行车沿着轨道的方向前行，以前这边都是杂草，附近住户自己圈地种菜，这几年统一规划，种下一排矮树。树是种上了，但无人修剪，里出外进，不太整齐，树底下还有许多杂草，这个季节里，无论是草还是树，基本都已枯掉，没有一丝绿意。我在这些矮树的缝隙里骑走，抄一条近道，时快时慢，偶尔抬头看天，风轻云淡。旁边有火车轰鸣着开过来，后面挂着几车油罐，开得不快，我用余光数着总共多少节，数到一半，有点乱，便停下来，转过头去，看着火车逐节经过，它掀起一阵微风，裹挟着石头与铁轨的气息，轻轻吹过来，相当好闻。

车开过去之后，我才发现，铁轨对面有人正望着我，穿一身军绿的警服，歪戴大檐帽，八字胡，矮瘦，耗着肩膀，口涎外溢，死死地瞪过来。我与他对视几秒，开始还以为是警察，后来觉得他的眼神不太正常，我便移开视线，继续往前骑，他在铁道对面，默不作声，与我并行，走得很快，我逐渐开始加速，他在另一侧也小跑起来。这时我才发现，他的手里拎着一根老的交通指挥棒，红白漆，十分破旧，我骑得越来越快，他也一直在加速，甚至开始奔跑，跨过铁轨，向我追来，并用指挥棒指着我，嘴里发出奇怪的呵斥声。他的嗓门很大，十分骇人，像是在追捕罪犯，我心里发慌，便在前面拐了个弯，向着另一条小路疯狂地骑去，那喊声始终紧随其后，更加急促，我没敢回头，但能感觉到他离我也就几米的距离，正在步步逼近，地上的一群鸟飞起来，我在它们中间穿行而过，仿佛也成为它们之中的一员，朝着前方飞去，我奋力蹬车，丝毫不敢放松，经过楼群，转到一条主干道，逐渐放缓，回头一看，后面已经无人跟随，这才松一口气。我浑身是汗，又渴又累，十分狼狈，将衣服敞开怀儿，站在路旁休息半天，才又继续出发，我边骑边想，我他妈为什么要做这样一件事情呢，想不明白。

我跟几位家长共同守在幼儿园的小操场旁，隔着栏杆往里望。幼儿园由两层门市房改造而成，面积不大，操场在小区里面，器材丰富，滑梯、转椅、秋千、球筐，应有尽有。课间音乐响起，十来个孩子从二楼跑下来，噼里扑通，下饺子似的，跟着老师做操，伸胳膊踢腿，连蹦带跳，模样可爱，也不吵闹，家长们纷纷掏出手机拍照，我也掏出来，隋菲向我描述过她女儿的模样，长头发，眼睛挺大，皮肤有点黑，翘鼻尖，眉毛旁边有颗痣，特乖，不爱说话，也不咋合群，愿意自己玩。我跟那些孩子有一段距离，痣是看不清，努力分辨半天，总算找到一个符合其余条件的，穿着一件嫩黄色外套，眼睛有神，做操也挺认真，动作虽然总是慢半拍，但很努力盯着老师看，我连拍好几张，各种动作，看着十分乖巧。做完操后，几个小朋友跑到栏杆这边，来跟家长说话，有的家长还给准备了切好的水果，这个小女孩向我这边看了一眼，但没走过来，我看着她默默走向大象滑梯，背面绕着走上去，再在顶端滑下，从象鼻子里钻出来，整理好自己的衣服，面无表情，又绕到背后去，再次滑下来。我举着手机，又拍几张，回家自己欣赏半天，越看越有意思，还得是闺女好。

当天晚上，我跟隋菲约吃烧烤，我点了两盘烤牛肉，一盘鸡脆骨，一盘墨斗，还有一份拌花菜，又等了将近半个小时，隋菲才到，风尘仆仆，一进屋就管我要手机，我起开两瓶啤酒，分别倒满，再将手机递过去，说道，看了半天，整个幼儿园，就你闺女最好，一看就听话，招人稀罕。隋菲来回翻着照片，速度很快，我又说，你还别说，长得跟你挺像，尤其是眉眼之间，有股英气。我还没举杯，她自己边看手机边喝下一口，然后抬头问我，这穿黄衣服的小女孩，谁啊。

我愣住片刻，说，不是你闺女吗。她举着手机，放大照片，指着旁边一个穿红毛衣的小孩儿说，这个是我闺女，三十多张照片，你就拍了两个侧影。我说，这不是短头发么。她说，绞头了。我挺尴尬，说，对不起，走眼了，刚下夜班，有点累，精神不集中，改天再去给你拍。隋菲摆摆手，情绪低落，说，再说吧，看不着闹心，看着了也闹心。我撒谎说，你女儿我也看见了，挺好的，健康成长。隋菲说，谁接的她，没看见他爸吧。我想了想，说，这个真没注意。隋菲说，要是有下次，你注意一下，他爸的右脸有道疤，挺深。我说，行，这个特征明显，不能认错。她又说，以前我划的。

隋菲穿得很厚，这在外面还看不出来，一层又一层，毛衫套了俩，我忙活半天，才全部脱完，累得满头大汗，衣服在椅子上都堆不下了，掉落在地上。隋菲缩在床的角落里，屋里没开灯，窗帘也没拉，幽光映入，她看起来又瘦又小。我坐在床边，擦着汗说，咋穿这么多。隋菲一把抓住我的胳膊，说，你管呢，快，上来。我借着酒劲，趴在她身上，换了俩姿势，干了挺长时间，呼哧带喘，本来对自己的表现挺满意，但隋菲一直没怎么出声，我的心里也就开始犯嘀咕。做的时候，她一直紧抓着我的腰，两腿绞在一起，最后我一激动，没能及时抽出来，全射里面了。做完之后，她一直没说话，我也没吱声，不敢轻举妄动，我直挺挺地躺在床上，很想抽烟，又不敢说，抓心挠肝，一个劲儿假咳嗽。过了半天，隋菲吐了口气，说，想抽烟了，去吧。我回应一声，连忙翻身下床，掏出烟盒里的最后一根，点燃之后，借着火光，看见身边的隋菲双目紧闭，右手搭在额头上，胸口明显起伏，她太瘦了，肋骨都能看得出来。隋菲说，诚心处不。我说，我心挺诚，今天虽然喝了点酒，但没喝多。隋菲说，你以前跟过几个女的。我说，这话怎么说，对象处过一个半，都没成。隋菲说，咋还出来半个。我说，手都没拉，就分了，只能算半个。隋菲说，干这事儿，跟过几个。我说，咋说呢。隋菲说，实话实说。我说，有一阵子，老去舞厅，黑灯里跳过几曲。隋菲说，啥意思，听不懂。我说，反正有那么四五回，后来觉得没意思，不去了，具体的情况，别问，不好，我说出来了，以后咱没法往下处。隋菲说，不问也行，但是我之前的事儿。我连忙接过去，说道，那我也不问，如果要在一起，咱们往后看，我这个人实在，我妈暂时不让说，但是我也得告诉你，我家其实还有一套房子，回迁楼，六十平，两室一厅，八院附近，一直没动，咱俩以后要在一起，不用租房，按你的想法装修，这个钱我也攒出来了。隋菲说，想得太长远了，我话还没说完，有个事情，我先讲好，你看看能不能接受。我说，你说说看。她说，我不能生育，生完头胎后，身体报销了，所以刚才敢让你射在里面。我停顿片刻，在黑暗里猛吸两口烟，问她，定死了吗。她说，医院判的，你要是觉得不行，就再想想，不逼你，无所谓。我想了想，把烟掐灭，跟她说，没啥行不行，以后别划我就行。

隋菲说，你先走吧，俩人在床上，有点不习惯，睡不着，别耽误你上班。我点亮台灯，起身下床，她的房间很空，除了这张床之外，只有一个简易衣柜，一张写字台，两把椅子。我穿好衣服后，又把地上散落的衣服归拢到一起，在床尾逐件叠好，规矩地摞在椅子上。隋菲一直在看着我，做完这些之后，我披上衣服，准备要走，她告诉我说，门有点紧，往右边拧，使点儿劲推。我按照她说的做法，用身体将门撞开，来到门外，又把门带上，然后并没有立即下楼，而是站在走廊里，听着她下床的声音，拖鞋趿过地板，有气无力，她走到门边时，我的心也提到嗓子眼，然后听见她在里面反拧门锁，锁簧咔哒两声，像是在跟我进行一场冷漠的告别。

我妈问我，处上没有。我说，差不多。我妈说，啥意思。我说，按照社会普遍经验分析，一个女的，要是能单独跟你去吃烤牛肉，关系基本就算定了。我妈说，你俩还真处啊。我说，要不然呢，不是你介绍的么。我妈说，她到底哪好呢。我说，说不明白，反正身上有股劲儿，挺吸引我。我妈说，你别上当受骗，她可有个孩子。我说，女孩，我还见过呢，没归她，谁骗我干啥，一穷二白。我妈说，那可不好说，你这礼拜天再见一个，我逛早市认识的，丫头挺胖，但人实在，摆摊卖小百，吃苦耐劳，我看也不错，骑驴找驴，你去看一眼，也没啥损失。我说，不看，礼拜天我不休息，得去加班，连轴干，单位最近管得严。我妈说，那下礼拜去见。

其实礼拜天并不需要加班。下夜班后，我骑着车直奔文化宫露天游泳池，秋天过半，这里还能游最后几天，马上就要闭馆，再来游的话，就又得是明年了。我赶到游泳馆，花五块钱买张门票，正在更衣室换裤衩，隋菲给我打来电话，问我在哪里，说有事要商量。我说我来文化宫游泳了。隋菲说，这都几月份了，外面还能游么。我说，不怕冷就行，最后几天。隋菲说，你啥时候游完。我说，一般情况，我来这都得待一天，从早到晚，饭都在里面吃，反正不限时，今天你要是有事，我就早点走。隋菲说，不用了，等着吧，一会儿我过去找你。

我披着浴巾来到游泳池旁，虽是周末，但由于天气转凉，只有三五个人在水中，他们站在里面，忽上忽下，相互观望，也不怎么游。池中的水比前几天要更绿，漂白粉味道浓重，几把破旧的折叠靠椅摆在岸边，我戴好泳镜，又把浴巾搭在椅背上，走到池边，试探着下水，水里很凉，我咬着牙，深吸几口气，一头扎进去，四肢僵硬，游了十几米，才逐渐舒缓开来。池面如镜，双手划开，也像是在破冰，我继续向前游，上下起伏，耳畔的声音愈发嘈杂，水声轰鸣，我潜到水底，憋一口气，向着黑暗的一角游去，直至抵达滑腻的池壁，才又转身浮起，双手扶在栏杆上，那些声音又忽然全部消失，四周仿佛静止，只有几片枯叶在水面上打转。

隋菲来的时候，已是中午，太阳高升，晒干地面，水汽荡漾在半空之中，我裹紧浴巾坐在长凳上，隋菲从后面拍我，然后绕着走过来，在我身边坐下。我问她吃饭没有，她说还没吃，我说那你等一下。我去旁边买了两个鸡蛋饼，回来递给她，说道，文化宫特色，卖十多年了，酱刷得足，多给你加了根肠。隋菲看着鸡蛋饼，跟我说，今早我做了个梦，完后给你打的电话。我说，梦见我了吧。隋菲说，没有。我说，那梦见啥了。隋菲说，梦见我怀孕了。我说，不能吧。隋菲说，按说是不能。我说，身体有啥反应吗。隋菲说，本来没有，现在不敢说了。我说，都是梦，别吓唬自己，就是怀上，咱也不怕。隋菲说，我怕。我说，怕啥。隋菲说，怕有人又抢走。我说，谁要抢。隋菲说，我前夫，我还总能梦见他监控我的一举一动，总偷摸回来，有时候半夜醒过来，总觉得屋里还有别人。我说，打住，你再说的话，以后我都不敢过去了。隋菲顿了一下，说，手机再给我看看。我返回更衣室，取来手机递给她，她又翻看一遍我拍的照片，然后跟我说，穿黄衣服的，其实就是我女儿，那天没告诉你，你拍得没错。我看看她，说道，你还能有句实话不。

我扔掉浴巾，转身跳入游泳池，中午游泳的人逐渐多起来，很热闹，水里其实比岸上要暖和，我在里面漂着，阳光照进来，池水闪光，十分惬意，我心里数着，再有不到一周，这里差不多就又要停业，都说明年这边要动迁，那到时我去哪里游泳呢。隋菲在岸上，默默走向另一个泳池，那里水深一米，夏天时都是小孩在游，现在没人去，已经荒废，几天后就会抽干。她独自站在水池边上，俯视着池边缓缓浮动的绿藻，我光着脚走上跳台，站在高处，俯视着下面的人，隋菲在最远处，跟她的影子融为一体，我大喊一声，人们望向我，然后我迈步上前，挺直身体，往下面跳，剧烈的风声灌满双耳，双臂入水，激起波浪，像要将池水分开，这是今天的第一跳。我在水底，那些嘈杂的声音再次袭来，没听错的话，有人在为我鼓掌，也有人在喊，大概是池水溅到他们的脸上，路旁有车经过，不断鸣笛。我闭起眼睛，依然能感觉到光和云的游动，太阳的踪影，这时，我忽然想起一首久违的老歌：孤独站在这舞台，听到掌声响起来。

舞厅的刘丽给我发信息，问我最近咋没来跳舞，我骗她说去了，但没找你，刘丽说嫌弃我了，以后断了吧，我说开玩笑呢，其实没去，最近单位忙。刘丽约我晚上一起吃饭，我合计一下，有点犹豫，但实在不太想回家，下班之后，便直奔她家楼下的冷面店，要了一箱酒，几个拌菜，我俩边喝边唠，天南海北，期间隋菲给我打了个电话，问我在哪，我说在外面，跟单位同事喝酒，她说今晚你回哪住，我说还没定好，隋菲说我又想闺女了，我说改天我陪你去看，隋菲说，我又做了个梦，梦见我下面一直淌血。我说，别吓唬自己，等我喝完，要是时间不太晚，我过去陪你。挂掉电话后，刘丽说，要去陪谁啊。我说，没谁。刘丽说，没谁就陪我唱歌去。我说，不去，就俩人，没意思。刘丽说那我再找几个，来都来了，没喝好呢，要上哪去。

我喝得有点大，横躺在包房的沙发上，天旋地转，打不起精神，刘丽一边唱歌，一边吃果盘，没过多久，刘丽的朋友来了，一男一女，看样子也是刚喝完酒，说话舌头发硬，我勉强起身迎接，男的比我高一头，低下身来，跟我握手，然后坐在我旁边，起开两瓶酒，我说我真喝不动了，刚干了半箱。他说，咋的，瞧不起我啊。我说，那没有。他说，初次见面，多少整点儿。我点点头，接过酒来，跟他碰一下瓶，抿了一口。刘丽唱得很高兴，关掉大灯，打开闪光灯，边唱边跳，还想拉着我一起，我摆手拒绝，新来的一男一女起身跳舞，搂在一起，相互摩挲着，我看见那男的手从女的领口伸进去，往里面掏。一曲完毕，男的坐下，喝口啤酒，我给他递过去一根烟，并点着打火机，他的脸凑过来迎，一束火光正好照在他的右脸上，我清楚地看见一道长疤。

我问他怎么称呼，他说，都叫我东哥。我说，东哥，脸是咋整的，挺鸡巴酷啊。东哥没回话，看我一眼，目光不太友好。我缓了一会儿，继续问他，东哥，在哪边住呢。他告诉我一个地址，我想了想，说那边有个铁道，对不对，两侧都是矮树，去过好几次，还总能遇见个精神病，戴大檐帽，拎个棍子，装他妈警察。东哥说，对，你挺熟悉啊，他逮谁追谁，夏天时候，天天出来，现在少了，你说可笑不，神经病还知道冷热呢。我说，是挺可笑，你一般咋对付。东哥说，他不敢找我。我说，怎么呢。东哥说，他挨过我揍，知道我下手黑。我说，怎么个黑法。东哥说，兄弟，你啥意思。我说，没啥意思，东哥，我给你点个迪克牛仔，我听你这嗓子，挺适合唱他的歌。东哥说，我不会。我说，听听原唱，学一学，唱好了震撼全场。东哥说，操你妈，小逼个子，我说我不会，你听懂没。我说，行，懂了，那我给你唱一个，三万英尺，词写得好，飞机正在抵抗地球，我正在抵抗你。东哥坐过来，搂紧我的肩膀，脸贴过来，皱紧眉头跟我说，不是，兄弟，你今天晚上到底啥意思，我没整明白。我把东哥的胳膊从我肩膀上拿开，说，我能有啥意思，就是忽然想唱歌了。刘丽看见我们这边不太对劲，连忙过来，将我们分开，另外一个女的拉住东哥，说着悄悄话，没过一会儿，他们便说还有事，先走一步，让我们慢慢玩，于是收拾东西离开。我掏出手机，想给东哥照张相，但灯光太暗，拍了几次，都是乌黑一片，什么也看不清。

他们前脚刚出门，我也紧跟着出去，刘丽在后面追我，此时已是半夜，刘丽非让我跟她回家，我说，今天不行，抽出二百块钱，打发她走，她还挺不乐意，扭过头又低声骂我一句。我没搭理，三步两步，转过马路，紧跟着东哥和那女的，还没走几十米，便看见他们走上一间二楼的小旅馆。旅馆的铁楼梯悬在外面，十分狭窄，满是锈迹，他们一前一后走上去，踩在上面，空空作响，楼梯摇晃，仿佛随时会散架，走到二层，掀开棉帘进屋。我转到楼的另一侧，隐在暗处，风的回声在其中穿梭，听着也像在旷野里，我点了根烟，望向二楼，看见其中一间灯亮，缝隙里透出一点微光，随后又黯淡下来，我抽完烟，踩灭烟头，深吸几口气，朝着家里走去。

那天在文化宫游完泳，已是黄昏，凉风阵阵吹来，阳光将云染成金色，隋菲跟我说了很多话，我的耳朵进水，有一些没太听清楚，出来之后，我说请隋菲吃饭，隋菲提议在家里吃。我们推着车去卫工市场买菜，我买了豆角和排骨，还有凉拌菜。出来之后，天色已晚，我骑着自行车，隋菲坐在身后，车把上挂着我们的菜。骑车过卫工街时，隋菲说，我不敢来这边，今天上午，听说你在这边，我挂电话后，犹豫半天，闭着眼睛摸过来的。我说，有啥不敢的。她说，你右边是啥。我说，卫工明渠啊，以前叫臭水沟，我小时候就在这边住，前面就是我的学校，标准件子弟小学，现在扒了，改饭店了。隋菲说，我住得也不算远，小学上的是启工二校。我说，好学校，当年亚洲最大。隋菲说，你小时候总来卫工明渠吗。我说，天天来，夏天抓鱼食，飞虫多，活物儿，还能卖钱，冬天在上面溜冰，抽冰尜。隋菲说，有一年寒假，掉下去过一个小孩，你还记得不。我说，那不记得。隋菲说，咋能不记得呢，当时闹得动静挺大，小孩滑到中间，冰面裂开，掉进去了，当时没人发现，晚上家长回来，这才开始找，那时候里面不是清水，有油污，冻不结实，后来就再也没有小孩去了。我说，小孩没了，但有大人，每年俩指标，冬天一个，夏天一个。隋菲说，这啥意思。我说，年年淹死人，其实也不是淹死，都是整死了抛尸，扔进去的。隋菲说，你对这边还挺熟悉。我说，也一般，以前晚上吃完饭，有时候过来，动动脑筋，在路灯底下打两把六冲。隋菲说，去年，我爸就是在这儿没的。我说，啥。隋菲说，差不多也是这个时候，还没等我们报警，警察先来找的我们，环卫工人发现的，漂上来了，警察跟我说是喝多了摔进去死的。我说，节哀。隋菲说，我挺怀疑。我说，怀疑啥。隋菲说，怀疑跟我前夫有关。我说，为啥呢。隋菲说，当时我们正在闹离婚，孩子的事儿没整明白，我爸那天喝完酒，又去找过他。我说，后来调查他没。隋菲说，查过，有证明，没在场。我说，那就不是。隋菲说，不见得。我说，相信公安的办案水平，别想太多，我快点骑，咱得赶紧到家把豆角炖上，慢。

每周大概有三天左右，我会住在隋菲家里，她平时并不总在家里，偶尔也去接一些上门护理的工作，换药、拆线、导尿、鼻饲都能干，一次三十元起，收费合理，冬天一到，找她的患者还挺多，有时候从早到晚，不得空闲。我一般是下夜班过来，买点菜，给她做两顿饭。隋菲挺爱吃我做的，吃过晚饭，我给她泡一杯速溶咖啡，然后陪她看电影，通常还没演几分钟，我就会昏睡过去，直到半夜，电影结束，隋菲总会把我摇醒，跟我说，你帮我分析分析。我说，分析啥。隋菲说，我爸的死，跟我前夫有没有关系，我感觉有。我说，警察说没有，那要是有的话，也是间接关系，不好判定。隋菲说，我爸那天晚上肯定去找过他。我说，可能吧，那天晚上你干啥来着，当时咋没报警。隋菲没说话。我说，咋没动静了。隋菲说，我跟我们院的大夫开房去了。我点了根烟，隋菲接着说，捞上来时，兜里有个打火机，半盒烟，钱在，手机也还在，不是为财。我说，许是意外，老年人脆弱，摔一跤，脑出血，不会走道，就跌下去了，没爬上来。她说，这一年以来，我天天想这些事儿，还老做梦，感觉自己都不正常了。我说，过去的事情，别想太多，我还是那句话，在一起，得往前看，对了，我好奇问一句，你前夫叫啥名。隋菲说，问这个干啥，刘晓东。我说，没事，他是不挺花啊。隋菲说，废话，不花我能跟他离么，总他妈不着家。我说，是吧。隋菲说，你提他干啥。我说，没啥，总觉得有点熟。隋菲说，见过咋的。我说，应该是没。

周末我妈包饺子，我买了几样熟食回去。从进屋开始，我妈没给过我好脸色，我也没吱声，饺子煮好了，我刚夹起来一个，她用筷子打掉，跟我说，啥前儿黄。我说，黄啥，处得挺好。我妈说，咋的，还要结婚啊。我说，搭伙，对付着过。我妈说，不要脸。我说，你再这么说我走了啊。

我妈语气缓和过来，跟我说，儿子，妈找人算了一下，这女的命里跟你犯克，黄了吧，妈再给你介绍，有的是。我说，太累，真看不动了。我妈说，最后一次，以后不逼你，这个摆摊的胖丫头，等你仨礼拜了，啥话没说，心多诚，怎么你也得去见一下。我说，不去。我妈说，提前约好了，就今天，妈求求你。我拿我妈真是一点办法也没有，我要不答应，这顿饭都没法吃，只好说道，在哪啊，几点，我看一眼就走。我妈说，就附近不远，你现在就吃饺子，这一盘都是你的，吃完就去，去了就好好唠。

我到咖啡馆时，胖丫头已经端坐在椅子上，袖子撸到小臂上，见我进来，兴高采烈地跟我举手打招呼，她的胳膊浑圆，挥动也十分有力。我在对面坐下来，她很主动，问我想喝啥。我说，白开水就行，她帮我叫了一杯水，她穿的衣服上都是卡通图案，脸蛋红润而光滑，相比之下，我更像她叔，聊了几分钟，我俩之间实在没有共同语言。我两口喝完，跟她匆匆告别，她跟我一起出门时，说自己有点饿，我说要不然给你买个面包香肠，她没说话，扭头便走。

我骑车回到隋菲家里，车停在小区门口，锁在栏杆上，我拐进超市买盒烟，出门刚点上一根，看见有个人影在我面前一闪而过，穿着皮夹克，绒裤子，挺邋遢，右脸经过那一瞬间，我看见一道长疤，心里一惊，立即跟在后面，走了几步，他忽然站住，也点上根烟，扭过脸来往后看，我装着没看见，继续往前走，刚经过他身边，他从后面拽住我的衣服领子，朝着我吐了口烟，说，你叫啥来着。我假装刚认出来，说，我操，东哥啊。他说，你住这儿啊。我说，来看个朋友。他说，男的女的。我说，女的，打麻将认识的。他仿佛仍在回忆，犹豫着说，有机会聚一下，带出来看看。我说，行。东哥又抽了两口烟，然后拍拍我，说，走吧，我想起来了，你是刘丽的对象。我说，不算，认识而已，东哥，你住这个小区么。他说，不住，来办点事。

我走进另一栋楼，从二楼走廊的窗户望出去，半个小时后，东哥从楼洞里走出来。待他走出院门，我转身返回隋菲家里，她眼神慌乱，我说，咋回事，有人来过。隋菲说，没有。我说，不对。隋菲没说话。我说，今天回来有点晚了，我妈包的饺子，太香，全让我造了，没给你带份儿。隋菲说，没关系。我说，那我给你下碗馄饨去。隋菲说，不用。我说，不麻烦，冰箱里有虾皮，多放点儿，肯定好吃。我刚打开冰箱，忽然有人在外面敲门，像是用拳头在砸，力道很大，声音让人心惊，隋菲神情紧张，没有说话，又敲半天，声音忽然停止，随后隋菲的电话响起来，铃声飞扬，她迅速挂掉，门外的人开始边敲边喊，大呼小叫，言辞难听。我走向房门，隋菲抓住我的胳膊，我将她甩掉，把门打开，东哥站在门外，看见我后，愣住片刻，然后说道，咋的，原来是你啊。我没说话。他跟隋菲说，你就找的这人啊，小逼个子。我说，东哥，啥事。东哥说，行，以后我就找你要抚养费。我说，可以，东哥，明天联系，今天不多说了，太晚了，影响邻居休息。东哥说，你要是不给，我就找刘丽，反正肯定能找到你。隋菲盯着我看，我的头很疼，像要炸裂，强忍着问，东哥，差多少。东哥说，三个月的钱，两千四，其实她要是没找人，这钱我要不要都行，但是找了，那这钱我就必须得要。我说，我给你。隋菲说，给个屁，跟你有啥关系。我说，兜里没那么多，这样，东哥，我送你出去，找个提款机，取给你，你看行不。东哥看看隋菲，拍着我的肩膀说，那有啥不行，隋菲啊，你也算找了个明白人。

我穿鞋出门，轻轻把门带上，又听见隋菲奔过来，反锁两次，楼道空旷，回响激荡。我站在楼梯上，咳嗽两声，给东哥点上根烟，小声说，东哥，别来气，有啥好商量。东哥没说话，嘴里叼着烟看我。我走在前面，他在我后面，出了楼洞，东哥说，你挺有主意啊。我说，东哥，有啥主意，家里介绍的，不处不行，我也为难。东哥没说话。我继续说，前面不远有银行，你咋来的，我这有自行车，带你一轱辘。东哥说，用不着，两步道儿，走着过去。我说，行。

路上照明不好，附近商铺都已关门，风挺硬，吹得我脸生疼，我提上拉划，脸缩进去，双手插在裤兜里，低着头走，东哥在我旁边，穿得少，冻得直哆嗦。走到路口，天空飘起一点雪花，在昏黄的路灯映照之下，细密纷飞，我说，东哥，下雪了啊。东哥说，下点儿雪好，杀菌。我说，是，感冒的太多。东哥说，你感冒了。我说，没有，隋菲这几天事儿多，上门给老头儿扎滴流，全天忙活。东哥叹了口气，语重心长地说，兄弟，你得理解我，这钱我也不是非要不可，但是我要过来这钱，最终也是给孩子花，对不对。我说，那对。东哥说，一切为了孩子，为了孩子一切。我说，都不易。东哥说，老弟，刚才有句话，一直想问你。我说，东哥，你问。东哥说，你感觉隋菲咋样。我说，什么咋样。东哥说，别鸡巴跟我俩装。我说，挺好的，方方面面。东哥说，是不，有时候我还挺怀念，她有那股劲儿。我没说话。东哥又说，但是你放心，没别的意思，我早都干够了。我还是没说话。东哥说，还有个问题，我想问问，你俩谁个儿高啊？我说，不道。东哥说，没比量比量呢。我说，没有。东哥说，你光脚有一米六没，我看她比你还稍微猛点儿，在炕上能够得着吗，不行就垫个枕头。我说，东哥，这有个提款机，我进去取钱，你等我一会儿。

我推门进入，把卡插进去，输入密码，查了一下余额，又退出来，机器咔咔直响，仿佛在跟谁说着话。我推门出来，跟东哥说，机器里没钱了，换一个，前面还有个农行，我跨行取。东哥说，那不有手续费么。我说，没事儿，钱给不到你手，我心里也不踏实。于是我带着他一起又向前走了十分钟，农行在一条暗街的转弯处，我走进去，提出两千四百块钱，钱吐出来之后，我在里面又数了一遍，东哥隔着玻璃盯着我，出来之后，我递给他说，你数一数。东哥直接收进里怀，说，不查了，回头见，哪天叫上刘丽，咱们一起涮火锅去。我说，再说吧，东哥，以后别提刘丽了，行不。东哥看着我，笑了几声，说，逼样吧。然后搂紧夹克，转头离开，雪越下越大。

我掉头返回，走了几步，又转到另一边，没有往家走，靠在墙上，点了根烟，抽了不到一半，烟头便被雪浸湿，我扔掉烟，从地上捡了半块砖头，三角儿的，带尖，拎了几下，还挺趁手，便揣在兜里，又转回去，东哥已经消失不见，我连忙追几步，在一个丁字路口看见了他，我紧随其后，他正缩着脖子打电话，在前面又转入一个老式小区，在进铁门时，被绊一下，滑倒在地，单腿跪着，然后便对着电话大骂一声，缓缓起身，低头拍掉裤子上的雪。就在这时，我几步奔过去，攥紧砖头，露出带尖的那面，不等他回身，跳起来直接砸在他的后脑勺上，力度很大，他立即扑倒在地，捂着脑袋回头看我，说了句，哎我操，充满疑问的语气，像是不敢相信，然后对着电话说，你等会儿，先挂一下。我心想，还挺顽强，我使那么大劲，还没撂倒。

于是没等他起来，我便又扑过去压倒，他比高我将近一头，但身体素质比我差太多，废物一个，我拎着砖头，照着眼眶猛砸，左右左右，轮着一顿搂，打得我掌心发麻，开始他双手还扑腾着，后来老实了，两臂垂下来，不断干呕，我站起身，看见他捂着脑袋，吐出一地秽物，混合着眼泪、血、酒精与食物，气味难闻，吐完之后，趴在地上一动不动，哼唧不止，我几乎没费什么力气，便将他拽到小区电箱后面的夹缝里，在电箱后面，我又砸几下，然后将砖头扔向远处，起身离开。走出几步，我转过去看，他仍一动不动，鼻孔冒着白气，忽深忽浅，偶尔身体还抽动几下，眼眶已被我打得烂，看不清是睁是闭。

回到隋菲家时，她看着我，没敢说话，我脱掉衣服，先从后面跟她干了一次，有点粗暴，隋菲叫得很凶，后来还带着哭腔。完事之后，我到厕所里把衣服裤子都洗干净，东哥有一口吐在我的裤脚上，我搓了半天。我洗衣服时，隋菲站在厕所门口，仿佛想问我点什么，又不敢问。我说，你睡吧，估计没啥大事，有事的话，跟你也没关系，放心。隋菲说，明天我想把孩子接过来。我说，我陪你去。我把衣裤晾在暖气上，然后便上了床，半天没睡着，隋菲转过身去，背对着我，自言自语道，钱给他了吗。我没回答。她继续问，刘丽是谁呢。我也没回答。她说，你又是谁呢。我还是没有回答。

我躺在床上，一宿没睡，闭上眼睛，也不得安稳，眼前全是雪花点，像收不到信号的电视机，茫然闪烁。隋菲在我身边，枕在自己的胳膊上，头发低垂，发丝弧度迷人，她的呼吸很轻，眼皮颤动，不知道是不是又在做梦。凌晨时分，雪映得天空发亮，我轻轻下床，拉开窗帘一角，看见地上已经积了很厚一层，有人骑着倒骑驴，戴一顶皮帽，斜着身体，艰难地向前蹬去，雪地没有倒影，我看了半天，直至他消失在我的视线里，才转过身来。隋菲仍躺在床上，保持着刚才的姿势，不过眼睛睁开了，直直地望向我，像一汪刚刚化开的雪水。

隋菲洗漱时，我收拾冰箱，拧开炉灶，做了两碗炝锅面，点上葱花，我饿极了，吃得狼吞虎咽，隋菲显然没什么胃口，基本是在看着我吃。我说，今天夜班，吃完饭，我陪你去接孩子。隋菲说，有点早，中午再去，现在刚送，不方便接出来。我说，那也行，咱们先出门转转。

雪已经停了，光线刺眼，让人对不上焦，外面还是冷，街上的人穿得都很臃肿，步伐笨拙，双眼盈泪。我拉着隋菲去商场，逛了三层楼，刷卡给她买了一双灰色的雪地靴，一千多块，看着暖和，她说不要，我非买不可，处这么长时间，一件像样的礼物都没送过，说不过去。隋菲说，那我也送你点啥。我说，不用，啥也不缺，以后再说。

从商场出来，已近中午，我拎着那双鞋，跟隋菲一起坐公交车，车上全是泥水，人们小心翼翼地挪着步，我们坐了四站，又换一辆，才来到幼儿园门口。此时大概是午睡时间，幼儿园内外都很安静，大象滑梯上也覆盖了一层白雪，看过去像披上一条白围脖，我在外面抽着烟等她们，不大一会儿，老师送隋菲和她的女儿出来。隋菲的女儿穿着粉色羽绒服，鼓鼓溜溜，跟老师挥手说再见，然后一蹦一跳，向我走来，她戴的帽子上面还有两个小毛球，走起路来一摆一摆，可爱极了，像是从动画片里冒出来的。走到近前，她也没问我是谁，只是躲在隋菲的另一侧，故意不去看我。我跟她们一起走过铁道，不慌不忙，速度很慢，像是标准的三口之家，前方仿佛有着整整一生的时间，在等着我们度过。火车在我们身后缓慢开去，轰隆作响，替我们挡住一阵吹起来的风雪。隋菲的女儿说想吃糖葫芦，我走到街的对面，给她买回来一串，我举着它，在车流之间穿梭，如同高举一把火炬，冰天雪地里唯一的颜色。隋菲蹲下身子，为女儿整理衣裤，娘俩的脸都冻得通红。在她们身后，我又看见了那个大檐帽，他穿着绿色的棉服，缩在墙角里，沉着脸望向我，我也看着他，这次，他的手里不再有武器，指示棒不知所踪，走到近前时，他忽然抬起一只手，笔直地指向我，眼神凝滞，欲言又止。我转过头不再看他，跟隋菲说，去找个商场，进里面吃，别饿到风。

我和隋菲带着她的女儿，又在商场里玩了半天，晚上一起吃火锅,点了不少菜,最后没有吃完。隋菲的女儿问她,晚上回我爸家吗。隋菲说,今天不回,跟妈妈住。女儿问她,那我们赶快走吧,我有点困。隋菲说,今天是你姥爷的忌日,跟妈去烧点纸,然后再回去。女儿说,行,我也想我姥爷了。隋菲说,你有啥要跟姥爷说的,先想好。

我们去医院门口买来一刀烧纸,来到卫工明渠旁,走下河岸,我掏出打火机,帮他们点着,隋菲和女儿蹲在岸边,迎风烧纸,风很大,纸灰四散。隋菲边烧边说,爸,这边一切都挺好的,不用惦念,外孙女也来看你了。她女儿说,姥爷,我以前总梦见你,带我打滑梯,又领我上楼,给我热牛奶喝。隋菲说,爸,你给我托个梦,告诉我到底是不是刘晓东干的,我跟他没完。女儿说,姥爷,我好长时间没喝过牛奶了。隋菲说,爸,我离完婚了,又找一个,工厂上班的,挺勤快,对我也还行,你放心。她女儿说,姥爷,你想我不,我还想让自己梦见你,但我最近不怎么做梦了。

那些话语声在我身后,逐渐减弱,我向前走去,水面上结有薄冰,层层褶皱,吞噬光芒,随时可能裂开,我走到一棵枯树旁,抬头望向对岸,云如浓雾一般,遥远而黏稠,几乎将全部天空覆盖起来,我开始活动身体,伸展,跳跃,调整呼吸,再一件一件将衣裤脱下来,在水泥地砖上将它们叠好。

我走入其中，两岸坡度舒缓，水底有枯枝与碎石，十分锋利，需要小心避开，冰面之下，那些长年静止的水竟然有几分暖意，我继续向中央走去，双腿没入其中，水底变幻，仿佛有一个运转缓慢的漩涡，岸上的事物也摇晃起来。这时，我忽然听见后面声音嘈杂，有人正在呼喊我的名字，总共两个声音，一个尖锐，一个稚嫩。我想起很多年前，也有这样一个稚嫩的声音，惊慌而急促，叫着我的名字，而我扶在岸边，不知所措，眼睁睁看着他跌入冰面，沉没其中，不再出现，喊声随之消失在黑水里，变成一声呜咽，长久以来，那声音始终回荡在我耳边。我一头扎进水中，也想从此消失，出乎意料的是，明渠里的水比看起来要更加清澈，竟然有酒的味道，甘醇浓烈，直冲头顶，令人迷醉，我的双眼刺痛，不断流出泪水。黑暗极大，两侧零星有光在闪，好像又有雪落下来，池底与水面之上同色，我扎进去又出来，眼前全是幽暗的幻影，我看见岸上有人向我跑来，像是隋菲，离我越近，反而越模糊，反而是她的身后，一切清晰无比，仿佛有星系升起，璀璨而温暖，她跑到与我平齐的位置，双手拄在膝盖上，声音尖锐，哭着对我说，我怀孕了，然后有血从身体下面不断流出来。我很着急，又扎进水中，想游到她身边，却被一阵风浪吹走，反而离她越来越远，我失去方向，不知游了多久，望见一道长廊横在我面前，很多人从上面经过，我抬头看得出神，后来发现有一位老人与我同在水底，并肩凝视，他的头发湿透，仿佛刚刚染过，脸色发白，嘴唇紧闭，我认出他来，一年之前，我们曾一起在路灯下打牌，他坐在我的旁边，酒气冲天，我默默出牌，他在一旁叫骂，从始至终，不曾停止，牌局结束，众人散去，我将最后的一把牌扬到他的脸上，他拉起我的领口，几乎将我提起来，众目睽睽之下，将我拖入黑暗之中。黑暗位于峭壁的深处，没有边际，刚开始还有拉拽声，争吵声，后来我们几乎同时发现，那是令人极度困乏的黑暗，散发着安全而温热的气息，像是无尽的暖流，我们深陷其中，没有灯，也没有光，在水草的层层环抱之下，各自安眠。

我赤裸着身体，浮出水面，望向来路，并没有看见隋菲和她的女儿，云层稀薄，天空贫乏而黯淡，我一路走回去，没有看见树、灰烬、火光与星系，岸上除我之外，再无他人，风将一切吹散，甚至在那些燃烧过的地面上，也找不到任何痕迹，不过这也不要紧，我想，像是一场午后的散步，我往前走一走，再走一走，只要我们都在岸边，总会再次遇见。

空中道路

小学倒数第二个暑假极其漫长，一个半月的时间，仿佛怎么都过不完。天气很热，白天里，我在家不断地喝凉水，捧着一本《应用题大全》研读，计算甲乙两人的相遇时间或者鸡兔同笼问题，有时候他们的情况很复杂，中途折返或者鸡兔数目互换，无法直接套用公式解决，我只看答案都理解得吃力，颇为苦恼。我那时的梦想之一，是去参加华罗庚杯少年数学邀请赛，假期过半，只觉离目标愈发遥远。做题间歇期，便去读小说，现在能记起来的有两本，一本是民间故事集锦，没有封皮，还有一本是雨果的《九三年》，后者很震撼，开篇就是水手、海浪与失控的火炮之间的肉搏战，惊心动魄，那是一七九三年的法国，革命涌动的时代，到处是枪声、火焰与阴谋，里面说，这些悲剧由巨人开始，而被侏儒结束的。我合上书，透过纱窗，抬眼望去一九九八年的铁西区，灰尘很大，路上都是碎石与刨花，人们穿得很凉快，走得很慢，不慌不忙，无所事事，到处都是无所事事的人。

在此期间，长江上游一共出现八次洪峰，中下游也爆发水灾，最终形成全流域大洪水，百年罕见，壮观而恐怖。每天傍晚，母亲下班回家，洗菜做饭，吃过晚饭，我们全家人一起看电视直播的抗洪救灾场景。战士们冒着雨，背负着一袋袋重物，砌成一道新的堤坝，两位专家在后方的演播厅里解说，其中一位说，听说袋子里都是水泥，干了之后就变成墙，非常坚固；另一个说不对，里面装的是面粉，科学研究证明，面粉的吸湿性最强，适合抵挡洪水。于是，我脑子里出现许多被水冲刷过的面粉，柔软并且黏稠，一摊白色在大地上缓缓溢开，远远望去，或许也像一场雪。

有天深夜，电视里重播新闻，战士们窝在帐篷里，穿着湿透的衣服睡觉。客厅里只剩我和父亲，他坐在沙发上抽烟，我刚做完题，正打着哈欠。父亲忽然对我说，你李叔，走几年了。我问，哪个李叔？父亲说，李承杰，以前邻居。我说，记不得了，两三年是有了。父亲说，出殡那天，我记得是春分，二十四节气里的。我说，有点印象，从火葬场回来，上饭店吃白事饭，每人在门口先洗手，然后领一个煮鸡蛋，费了挺大劲，也竖不起来，后来直接磕在桌子上，剥开吃了。父亲说，好日子，万物生长，全球昼夜平分。我说，这有啥好与不好的。父亲说，春分时，燕子从南方飞回来，雷雨挂着闪电，噼里啪啦，像放鞭，都在给他送终，热闹。我没有说话。父亲顿了顿，又说，这人挺可惜，头脑好使，但没赶上好时候，性格也太内向。我说，这话啥意思。父亲指着电视里的救灾场面，说道，按照他的构想,即便发生这么大的洪水,也淹不死那么多人。我说，李叔不是开吊车的么，还有什么发明设计。父亲说，一般人可能不知道，临走之前，他跟我讲过一次，我没当回事儿，现在想想，厉害。我说，不对吧，他那时都张不开嘴了，嗓子眼儿发堵，呼哧带喘，来回倒着气儿，李早跟我说的，他爸想骂他，都说不出口，光动嘴巴，出不来动静。父亲说，不是这次，是上一次，你还不太记事，有那么半天，我们一起悬在半空里。

针叶林高于阔叶林。班立新躺在墨绿色的塑料布上时，忽然想起这么一句。山地松软潮湿，他斜倚过去，脊背上觉察到一些凉意。光线低垂，巨石的阴影倾侧过来，旁边人说话的声音越来越小，几乎是同一时刻，所有人都开始闭目养神，只有偶尔的虫鸣。有人拾阶而上，默默经过他们身旁。

酒是没少喝，从昨天开始，一直就没停过。凌晨的火车，刚坐上去，便从口袋里掏出几个扁瓶的老龙口，每个二两半，捏起来碰杯，从嘴缝儿里灌，就着花生米、香肠和榨菜，然后又是啤酒，吵吵嚷嚷，不分你我，有点像过年，互相窜换着座位，打扑克，脱掉鞋子，蹲在座位上扇，输了的还得罚酒。火车咣当咣当，越开越慢，每站都停，外面的风光广袤而单调，雾气昭昭，看上去十分闷热。临近中午时，车内蒸腾，许多人都已经睡着了，满头大汗，躺得横七竖八，空的易拉罐地上来回滚动。

班立新的酒量很好，喝到后来，反而焕发精神，在此起彼伏的鼾声里，他站起来，活动几下身体，然后又仔细避开从座位里伸展出来的四肢，从车厢的一侧走向另一侧。在两节车厢的接缝处，他点起一根烟，刚抽没两口，听见身后传来咚的一声，声音不大，空洞而尖脆，他转过头来，看见一个易拉罐正向自己飞来，躲避不及，砸在小腿处，罐子里残余的几滴啤酒扬到空中，又落在他的裤脚和鞋子上。他抬眼望去，李承杰正笑着走过来，双手插在裤兜里，摇晃着脚步，歪着脑袋，头发根根竖立。他的个子不高，头却很大，与身子不太相称，穿着一身深蓝色的工作服。

班立新有点不高兴，没有露出惯常的笑容作为回应，而是低着头，抬起腿来，掸去裤子上的泡沫与水珠，他的牛仔裤刚刚浆洗过，表面像附有一层硬壳，啤酒渗不进去。李承杰走到近前，红着脸说，没事吧，不知道这里面还有没喝完的酒。班立新说，脚法挺准。李承杰说，给你裤子整湿了。班立新说，没事，这一上午都没看见你呢。李承杰说，你们喝酒来着，我也不会喝，谁也不认识，没挨过去凑热闹。班立新说，你们吊车组过来几个人。李承杰说，就我一个。班立新说，你门子挺硬啊。李承杰说，没门子，上次技术比赛，勾罐头瓶子，我拿了第一，说给涨一级工资，也没给涨，就换了个疗养机会。班立新说，跟谁过来的？李承杰说，就我自己，你不是？班立新说，媳妇孩子也来了，在别的车厢呢，媳妇也有个名额。李承杰说，让带孩子来吗？班立新说，不让啊，偷着带的。李承杰说，抓到不得挨处分。班立新说，谁啊，敢处分我，借他俩胆儿。

到达目的地时，已是傍晚，天空开阔而阴沉，几滴雨丝散落在地上，又迅速蒸发掉。车厢里的人涌出来，三五成群，迈开大步，汗水被风吹干，酒醒之后，他们又重新雀跃起来。班立新提着大包走在最后面，左顾右盼，李承杰等在车门处，向他着急地摆手说，快点啊，一会儿来接咱们的车就要开走了，那车可不等人。班立新说，你去坐车吧，我得带着媳妇孩子单独走，被看见不太好。李承杰说，没事，我给你打掩护。班立新说，一个大活人，你咋掩护。李承杰说，嘿嘿，也是，那我也不坐车了，跟着你们走吧。

李承杰和班立新一家三口，走出站台，钻过地下通道，在车站外面找了两辆三轮车，谈好价格，班立新的妻子带着孩子坐一辆，李承杰和班立新同坐一辆，一前一后，向着山脚下的疗养院骑去。蹬三轮车的问他们，你们是变压器厂的吗？他们回答说是。蹬三轮的又问，我有个问题，困惑好几年了，想请教一下你们。班立新说，有啥直说。蹬三轮的说，我说的话你别不爱听。班立新说，你说说看，我尽量。蹬三轮的说，我就是想不明白，疗养院这三个字是什么意思呢，按照字面理解，是不是病人恢复身体健康的地方，但这一年又一年的，都是过来旅游的，欢天喜地，连吃带喝，最后还买一堆纪念品。李承杰说，嘿嘿，你不知道，我们都有职业病。蹬三轮的问，什么叫职业病？李承杰说，比方说我，是开老吊的，天天就坐在几平米的驾驶室里按电钮，扬杆转向，手握档杆玩一天，不是吊灰就吊砖，上高害怕也得去，坐里就像蹲监狱，很压抑的。蹬三轮的说，那是需要偶尔敞开一下心扉，看看风景，另外一位兄弟呢，你有什么职业病。班立新说，我有酒精依赖，上班就是喝酒睡觉，睡醒了下班。蹬三轮的说，你这病好，我也想得。李承杰笑着跟班立新说，你们线圈组啊，最适合养老，活儿轻俏，还属于有毒有害工种，保健发得也多，得是我的两倍。班立新说，无所谓，也不是自己买卖，对付过去就完事儿。

到达疗养院门口时，班立新的儿子已经睡着了，李承杰帮他提着包裹，他从车上把儿子抱过来，迈向里面的三层小楼，傍晚时分，门口的灯亮得很早，蚊虫噼里啪啦地往上撞，这里的空气清冽，温度适宜，有人已经换好一身鲜艳的衣裤，步伐轻松，准备乘着即将到来的夜色去四周转一转。班立新的情绪不错，挑着眉毛，蹑手蹑脚地走路，尽量避开他人的目光，实在躲不过去时，便点头打招呼，谨慎地露出微笑。他那副小心翼翼的样子，仿佛是在对所有人说，嘘，小点声，我的儿子睡着了。

我说，我记得，那时他们刚搬过来，我跟李早也才认识没几天。父亲说，对，一家三口搬过来的，媳妇是冶炼厂的，干焙烧的，能进炉子，身板儿宽阔，说话嗓门挺大。我说，去的时候，我跟我妈在一个车厢里，挺紧张，尿了好几次，后来坐上三轮，好像就睡着了，不知道多久才醒，醒来之后天都黑了，屋里也没开灯，我就一直闭着眼睛。父亲说，我们在那儿一共待了十天，那边的夜晚总是来得很快，刚转过头的工夫，天就完全黑下来，灯也少，什么都看不见。

父亲又点了根烟，说，春分，一般是在三月份。我说，应该是。父亲说，李承杰走的那阵儿，我刚下岗没几天，他比我早一年。我说，下岗之后，李叔上哪干活去了。父亲说，不开吊车了，找了个私人开的门市，做铝合金加工的，他去帮着安装窗户，跟以前一样，也得爬高，有时候爬上楼顶，拽两根铁绳子，从上面往下一点一点放，深蓝色的玻璃架子，像一面镜子，扣在阳台上，遮天蔽日。我说，想起来了，家家都换铝合金，好看，滑溜儿，但冬天不保暖，漏风，窗台结冰。父亲说，有一次，他给一家二楼的住户安铝合金窗，顺着外面的管道爬上去，往墙上钻眼时，不小心踩秃噜了，摔了下来，后脑勺着地，听说当时他自己还笑呢，站起来拍拍身子，接着把活儿干完，第二天睡觉起来，肩胛骨开始疼，持续好多天，钻心地疼，再后来，胸口也憋得慌，上不来气，去医院一查，发现了别的毛病，从此就常去报到,检查治疗,但也没用,维持不了,这都是命。

那阵子一直都是阴天，总不放晴，塑料袋漫天飞舞，大街两边刚种上新树，瘦弱光秃的树干，新闻里说是法式梧桐，外国品种，在我们看来，不过是插在地上的一根光杆儿，而这样的一株要八十块钱，简直不可思议。我们放学之后,沿街两侧横踹一路,很多人都看见过,但没人阻拦，那些树苗逐渐塌腰，从中间折开。没过多久，它们又被翻出来，放在卡车上拉走了，只在地上留下一个土坑。下雨过后，便会形成一个微小的泥潭，青苔在其中密集繁殖。

李早的胳膊上绑着黑纱，脸色铁青，没有表情，放学后非拉着我去游戏厅，我说，你今天是咋了？不用回家？李早瞪着荧屏的格斗游戏，选好金家藩、陈可汗和蔡宝健一组，韩国队，然后晃着把杆热身，梗着脖子跟我说，我爸死了，后天出殡，今晚没人管我，来，咱俩掐一把，你草薙用得不牛逼么，操。

从游戏厅出来时，天已经彻底黑下来，我们一起走回到院子里。灵棚搭在中央，香火萦绕，底下是几盘蜡制的假水果，色泽夸张。李承杰的黑白照片摆在正中央，周围有许多陌生人，李早把书包往里面一撇，先是跪在地上磕三个头，动作很慢，像是在用额头去触摸大地，然后坐在一旁，盯着父亲的遗照，满脸怨气。他的母亲，那位强壮的冶炼厂工人，大声地讲述着李承杰离世时的场景：医院里的暖气烧得滚烫，穿着衬衣衬裤都直冒汗，下午五点多，他们打开半扇窗户透气，结果飞进来一只蝙蝠，像小老鼠似的，围着日光灯来回绕，赶也赶不走，后来索性不管它了，那只蝙蝠便倒挂在墙角，像是在看谁，没过多久，自己又从窗户飞走了，无声无息，这时候，李承杰也咽了气，同病房的人告诉他，你家的那位是去好地方了。她一次又一次地讲述，不厌其烦，仿佛说的不是自己的丈夫，他也并没有死去，而是出门远行，去往一个更好的地方了。

半夜挨间查房，具体是几点，没人知道。班立新坐在床边，把被子提上来，儿子正睡在床里面，他心里想着，最好还是别被发现，不然总归会有些麻烦。每隔一会儿，他就会推开房门，拎着一瓶啤酒在走廊上张望，直到后半夜，整天的酒劲儿泛上来，卷积着浓重的困意，他有点熬不住，便将被子搂到一边，准备睡觉，不知过了多久，恍惚之间，他听见有人在外面咚咚地敲着房门，声音急促，班立新听在耳里，却怎么也爬不起来。同屋的人叫骂着，趿拉着鞋去开门，李承杰站在门外，向里面喊道，班子，班子。班立新揉几下眼睛，翻了个身，说，叫魂儿呢，谁啊。李承杰迈进屋子，焦急地说，查房的来了，我那边刚查完，快轮到你这边了，孩子我先给你抱走，别有麻烦。班立新这时尚未醒酒，脑袋里仿佛有无数绳索在扯动翻搅，他略微迟疑，但还是将儿子递了过去，李承杰接过孩子，三步两步，迅速消失在门外。班立新坐在床上，缓了几分钟，酒精缠绕，仍未消散，他很疲惫，却还是有些不放心，于是爬起床来，想去外面看看是什么情况。刚一推开房门，保卫科的人便进来了，拉开灯绳，挨个床上翻腾，问道，没有带外人过来的吧。屋内没人回话。保卫科的人看着站在门旁的班立新说，你要干啥去。班立新说，你管呢。保卫科的人看看手里的名单，说道，我知道你，姓班，刺头儿，爱干仗，进去过。班立新说，是我，有啥问题，大半夜的，别给自己找不痛快。保卫科的人愣了一下，然后从兜里掏出一盒白红梅，倒出两颗，递给班立新一颗，班立新接过烟来，从兜里掏出打火机，先给保卫科的人点上，再给自己点上，刚抽两口，保卫科的人问道，在里面待了多久？班立新说，羁押，俩月。保卫科的人说，因为啥呢。班立新说，没啥，聚众斗殴，多少年前的事儿了。保卫科的人拍了拍班立新的肩膀，然后说道，我先走了，去下一间看看，明天早上六点，楼下食堂准时开饭，别忘了。

那些人走后，又过了一会儿，班立新也转身迈进疗养院的长廊里。长廊很黑，只在尽头处挂着一盏黄灯，发出模糊的光，他走过去，又走回来，反复数次，凝视着墙上映出的那些低矮混沌的暗影，午夜的长廊十分寂静，只有他的脚步声。他很想去找李承杰，抱回自己的儿子，却发现自己根本不知道他住在哪间屋子里。

班立新只好向外面走，走出疗养院一楼的大门，站在院子中央，空气清冷，背后是石砌的拱顶，抬头望去，远处的山峰与阴云连接在一起，灰烬一般的颜色，他仿佛正处于峡谷的中央，而风带来轻微的回声。阵阵寒意袭来，他已经彻底醒酒，浑身哆嗦，转过头正准备回去，忽然发现李承杰正抱着他的儿子坐在侧面的台阶上，打着哈欠，睡眼惺忪，他只穿一件衬衣，那件深蓝色的工作服盖在孩子身上，一只袖口孤零零地垂下来。班立新走过去，也在他身边坐下，台阶很凉，于是他又半蹲起来，说道，查完房了，啥事儿没有，回去吧。李承杰说，明天还查不查。班立新说，据上次来的人说，就这一次，走个形式。李承杰说，你儿子睡得真香啊，这么折腾都不醒。班立新说，也想你儿子了吧。李承杰说，想，自己出来玩，没意思。班立新说，回去吧咱们，明天六点开饭，然后去爬山，我跟他们都定好了，你也一起。李承杰说，行，是得爬爬山，不能白来一趟。

第二天早上，天还没有亮透，班立新便将熟睡的儿子交给妻子，自己收拾好随身物品，集合队伍，准备开始爬山。这座山已经被开发得相当完备，铺了石阶，沿途有卖拐杖与茶叶蛋的，也有照相留念的摊位，他们从最低处出发，一路向上爬去，班立新走在队伍的最前面，李承杰紧随其后。路上遇见一个歪歪扭扭的松树，盘根错节，颇有来历，李承杰提议合影，班立新虽然有些抗拒情绪，但还是答应下来，立等可取，拍照的人从相机的背后拿出照片，在空气里来回扇动，再交到他们手里。这时他们发现，这里的景致相当好，背后是松树，松树后面则是雾气缭绕的远山，墨绿与深棕相间，层次得当，极像挂历上的风景画。

班立新说，照得挺好，可惜只洗出来一张，你留着吧，当个纪念。李承杰点点头，然后打开背包，从里面掏出一本书，又将照片夹在书里。班立新问他，这是什么书。李承杰说，苏联小说，《日瓦戈医生》，厂里图书馆借的，半个月了，在吊车上看了一点，在火车上又看了一点，还没看完。班立新说，有意思吗。李承杰说，看着看着就困，名字太长，不好记。班立新说，挺有文化，爱看外国书。李承杰说，我以前看的都是武侠，最近想看看历史书，这本借错了，翻卡片借的，我当时还以为是讲白求恩的呢。

我跟李早在铁皮房子里点火。他跟我说，偷两根儿烟来。我说，你咋不偷呢。李早聚精会神地扒拉着火苗，说，我爸也不抽啊，你爸爱抽烟，够意思，去整两根儿。我跑回家，借着喝水的工夫，从烟盒里抽出来两根，攥在手心，又跑回来。李早已经把油毡纸点着了，一时半会儿灭不了，屋内被火光溢满，无比明亮，外面下着小雨，雨滴落在房顶上，发出低沉的声响。

我们借着火苗，各自点着一根烟，李早猛抽一口，然后咳嗽起来，我也吸了一口，含在嘴里又吐出来，味道有些发苦。李早看着我说，抽烟不过肺，你这人儿挺不好交啊。我说，拉屁倒吧，说得像你会抽似的。

两根烟先后烧完，我听见外面有人在喊李早的名字，一个女人的声音，虽然只隔着一层铁皮，那声音听起来却相当遥远，他对我使着眼色，意思是让我别出动静。又过了一会儿，那个声音逐渐消失，换成了一个男人的声音，这次我听出来了，那是他的父亲李承杰，像一头低吼的狮子，焦急并且缺乏耐性。李早不为所动，仍十分坦然，闭着眼睛享受火焰的气息，他靠在一面铁墙上，浑身沾满锈迹，帽子也摘下来，扣在膝盖上，那顶帽子上的图案是一只红色的公牛，芝加哥公牛，双角高扬，怒睁圆目，注视着面前的那团火焰。雨声越来越密集，直至连成喧哗的一片。

一九二九年的初夏，天气很热，熟人穿过两三条街彼此做客时，都不戴帽子，不穿上衣。

班立新说，听你这么一说，我才知道，原来去别人家做客，还要戴上帽子。李承杰说，前苏联，讲这些礼仪，我们不讲究。班立新说，这本书还讲什么，你再说说。李承杰说，还有就是死亡，这个男的，日瓦戈医生，坐在公共汽车里看景儿，经过一个行人，穿着紫衣服的外国姑娘，公共汽车开过去，他超过紫衣姑娘，然后他就死了，公共汽车停下来，紫衣姑娘又跟他相遇，看了他一眼，继续往前走，又超过了他。班立新说，这是啥意思。李承杰说，我也一直在想，没太悟透。班立新说，可能就是歌里面唱的，妹妹你大胆地往前走，莫回呀头，通天的大路，九千九百九十九。李承杰说，大概也有这层意思。班立新说，日瓦戈医生，最后是啥毛病呢，走得这么急。李承杰说，不知道，估计是心梗。班立新说，你刚才说书还没看完，但主角都心梗了。李承杰说，其实这书我是在看第二遍了，我也不知道刚才为什么要说没看完，你有什么好的道理，也来讲一讲。班立新想了想，然后说，针叶林高于阔叶林。李承杰点点头，不再说话。

他们在缆车上，浮在半空。因为没有向导，他们第一次爬错了山峰，太阳初升之时，他们一行人便已抵达山顶，然后发现这不过是临近的矮峰，主峰要从山的另一侧走上去，他们有些沮丧，又从山上走下来，重新整装出发，这次只爬到一半，所有人便已筋疲力尽，吃喝休息过后，他们决定去乘坐缆车，借助工具登顶，虽然已经很累，但总归还是要看一眼最高处的风景，再往回返。

缆车售票处的窗口上拉着一个条幅：热烈庆祝本线路缆车连续运行十三年无事故。李承杰指着条幅，撇着嘴对班立新说，你看这条幅，很有问题，一般人看连续十三年无事故，一定会觉得很安全，但有没有人想过，十三年前，到底出了什么事情呢。工作人员在售票窗口里冷冷地插嘴说，十三年前，我们这条缆车线路刚刚竣工。李承杰听后尴尬地笑了笑。

山中的阴晴瞬息万变，缆车一辆接着一辆走，相隔几十米，到了最后，只剩下班立新与李承杰两个人，他们共处在一辆缆车里，坐在两侧，乌云很近，抬手可及，李承杰背对着山峰，目不转睛地看着两侧逆行的风景，班立新只注意着那片乌云，柔韧而漫散，他从来没有这么近接触过任何一朵云彩，他想，闪电会不会也在其中，然后他就看见了闪电，天上的一道光，在他眼前聚集、分解、消逝，伴随着巨响，他闭上眼睛，但闪电的模样仍停留在那里，长久不散。

雷声过后，缆车便静置在半空中，接受风雨的侵袭，不再前进。刚开始时，他们还没反应过来，以为停止也是游览的一部分，直至窗外的景色很久都没有变化，他们不得不将视线移开，发现后一辆缆车空无一人，而前面的那辆车里，已经传出刺耳的尖叫声，他们正位于整条线路的中央，看不出来离地有多高，脚下是高大的树丛，斜长在山脉上，一片深邃的绿色，风吹过来，树梢摇摆得很厉害。班立新手里倒弄着打火机，骂道，怎么他妈停了，操。李承杰说，别是有故障。班立新说，等等看，估计马上就能启动了。

然而他们等来的却是一场冰雹，猝不及防地砸在缆车的窗户和车顶，声音密集而巨大，噼里啪啦，像是经历一场猛烈的扫射，他们觉得车厢四处皆有裂痕，班立新有几次都想手遮住脑袋，但却始终没能抬起胳膊。过了一会儿，那些冰雹又变成雨，跟着雨一起来的，还有凶猛的风，他们被吹得荡起来，扬到半空里，像是坐秋千，班立新拽住一侧的窗沿，不敢放松，头上开始冒汗，缆车里空间封闭，越来越热。

班立新始终在劝自己说，就当是在公园里，坐那些惊险的高空游戏。李承杰很害怕，脸色惨白，一直盯着窗外，浑身发抖，并且开始干呕，他的手紧紧抓住座椅的边缘，汗珠直往下滴。李承杰说，十三年无事故，让我们赶上了。班立新说，别吓唬自己。李承杰叹了口气，说道，我要能活着下去，这辈子就再也不爬高了。班立新说，别说这没用的，肯定没事，大老爷们，镇定点儿，给我讲讲你看的那本书。李承杰说，讲不了，没心情，讲不了。

这时，外面的风仿佛小了一些，班立新手抖着，点燃一根烟，说道，随便讲讲，时间过得快，转移一下注意力。李承杰说，好，好。然后又摇摇头，说，讲不了，真讲不了。他双手抱着脑袋，看着摇晃的地面，仿佛随时可能栽倒下去。

李承杰吐了两口酸水，然后仰头躺在座椅上，对班立新说，班子，给来根儿烟。班立新倒出一根烟，放在嘴里点上，再递给李承杰，他抽了两口，咳嗽起来，满脸通红，平息之后，他开始讲述，外面的雨像在为他作激烈的伴奏。他皱紧眉头，讲得有些突兀，开始时毫无头绪，说什么生命就是为牺牲做准备，几近胡言乱语，直到说起一九二九年的夏天，苏联的一条大街上，一切逐渐清晰起来。他们喷出来的烟雾笼罩在车窗上，车内愈发压抑、闷热，汗水顺着脖子淌下来，外面的雨声好像小了一些，不再那么嘈杂，而是转为低语，仿佛也在谛听他的讲述。

讲完日瓦戈医生，李承杰的精神缓和过来一些，他又要了一根烟，用鞋子把刚才吐出来的酸水划开，重复道，针叶林高于阔叶林。班立新说，忘记在哪里听到的了。李承杰说，我们现在又高于针叶林了。缆车咯噔一下，仍然没有行动，许多露水凝结在玻璃上，他们已经看不清窗外的模样。

李承杰说，不聊书了，没意思，其实一直以来，我都有个想法，现在要说一说。班立新这时身心俱疲，眯着眼睛，靠在一侧，附和着说道，什么想法。李承杰说，这个想法，今天在这里，我感受更深。班立新说，你说说看。李承杰说，我始终觉得，现在的城市规划有问题，思路没打开，我们的生活不够立体，只活在一个平面上，太狭隘了，其实我们可以开发空中资源，打造三维世界，像这种缆车一样，改造成空中的公共汽车，不用这种缆绳，不安全，受气候影响太大，直接用吊车，抗风，不挂霜，结实，比方说，我会开吊车，那么我可以作为一个中转站的司机，你要去太原街，好，上车吧，给你吊起来，半空划个弧形，相当平稳，先抡到铁西广场，然后我接过来，抓起来这一车的人，打个圈，抡到太原街，十分钟，空中道路，你看着空无一物，没有黄白线和信号灯，实际上非常精密、高效，畅通无阻，也不烧油，顶多费点儿电，符合国际发展方向。班立新说，有点意思，那吊臂得多长，怎么启动。李承杰说，伸缩的，利用吊臂的长度和倾角的变化改变起升高度和工作半径，折叠式的桁架结构，非常安全，你上车也得买票，有售票员给你安排座位，胖的瘦的搭配，保证好重心位置，严格控制，不能超载，亮绿灯再启动，各个站点做好配合，拿着对讲机，安排好层次，按照规划路径，二十米一层，互相别打架，有高有低，错落有致，车上的人在空中滑行，半个城市尽收眼底，比方说你从重工街出发，摇几下杆把，你就开始横着滑行，一路上能经过红光电影院、劳动公园、露天游泳池，能看见挂着的广告牌，上面画着巩俐，《古今大战秦俑情》，还能路过公园的假山，看猴子和鳄鱼，最后是游泳池里墨绿色的池水，人们在里面打着水浪，晚上还亮着五彩的灯，一起一落，全是风景。班立新想了想，说道，确实是好，你开吊车，有点屈才了。李承杰说，不屈，我都想到了，别人不可能想不到，这是大趋势，以后要是不在厂子上班了，我可能去当司机，天天坐在空中，比树高一些，四周明亮，能看见雨和雪，心情舒畅，听半导体效果肯定也好，我得再听一遍《薛刚反唐》。班立新说，不看书了，前苏联的那个什么大夫。李承杰说，开车不能看，闲下来时候可以看。班立新说，要是早有这个发明，他也不能死那么快，怎么也能先抢到医院，抢救一下。李承杰说，还真别说，这个设施对于医疗也是一大进步。班立新说，那总共得多少个吊车。李承杰说，也不用特别多，有的距离长些，有的短些，交接处正好设置车站，下去几个，又上来几个，跟公共汽车一样。班立新又说，但你想没想过，这个跟高楼容易发生冲突。李承杰说，完全不冲突，建高楼时，留个心眼儿，凹进去一部分，作为中转站，交通也更方便，直达，比方说，咱们厂子要是起个高楼，那些坐办公室的，一步到位，直接进楼里上班，节约多少成本。班立新说，有想法。李承杰说，但晕车的不建议乘坐，在天上呕吐的话，收拾起来比较麻烦。

他们并没有意识到，停滞半天的缆车已经缓缓开动，风雨渐息，云雾散开，不知不觉，他们已经抵达终点，顶峰近在咫尺。前面的人抱着哭作一团，准备徒步下山，班立新和李承杰从烟雾弥漫的车厢里走出来，抖抖被汗水浸湿的衣衫，让雨后的凉风拂过胸腔，然后继续迈向雾气交织的山巅，他们一边走着，一边还在说着空中的那条道路。

父亲说，两年之后，我们两家又一起出去旅游过一次，还是那个地方，没住疗养院，住在宾馆里。我说，那次我记得，李早每天都起不来床，第一次印象不深了。父亲说，也是去爬山，你和李早爬到一半，累得走不动，你妈说坐缆车上去，我没同意。我说，挺遗憾，但后来去山洞里看佛像，龇牙咧嘴的四个神灵，挺有意思，也就忘了爬山这个事情。父亲说，我当时已经到了缆车门口，不少人在排队，我向里面一望，窗口上面拉着个条幅，上面写着，热烈庆祝本线路缆车连续运行十五年无事故，然后我就退出来了。我说，只记得那些山洞里的回音很大，来回折射，说话声越大，反而越听不清楚，一片混沌的嗡鸣，要贴在耳边轻声讲话。

父亲让我回屋睡觉，他独自留在客厅里。我躺在床上，打开台灯，望着天花板，然后听见他在客厅里拄起拐杖，拐杖一头缠着棉布，但在地面移动时，仍会发出沉闷的声响。那是一年之前，上夜班时，他走在车间里，忽然被电击倒，他躺在地上，半边身子是木的，完全想不出是哪里来的电，想站起身，却怎么也使不上劲儿，也张不开嘴叫喊，直到凌晨，才被人发现，躺在板车上被送回家里，休息了两天，还是不行，最后去的医院。那时候，厂区里空得令人发慌，许多人都已经下岗，他住在医院里时，心里知道自己也即将成为其中一员。手术之后，他的膝关节被截去，右手不太能握得住东西，医生告诉他，康复不是一天两天的事情，需要每日锻炼，调整好心情，才会有效果，不要丧失信心。父亲说，好，一定坚持，至少得恢复到能拿起酒杯的程度。

我有点困，但又睡不着，迷迷糊糊地想起许多事情，拐杖、缆车、山路、潮湿的空气、破败的佛像、墨绿色的池水，那本《九三年》正在手边，我继续读下去，书里面写道：有些人来了，有些人去了，发生了一些事；至于我，我总在这里，总在星星照耀之下。他不仅对一切大事不关心，对任何细小的事也不关心。与其说他在沉思，毋宁说他在幻想。因为沉思的人有一个目标，幻想的人却没有。他流浪，漫游，休息。

班立新回到工厂之后，还是背了一个处分，被人举报他带着孩子去疗养院，这已经是在厂里的第二个处分，第一次是上班期间打扑克，并用垫木块儿进行赌博，给予的惩罚是留厂察看，这也就意味着，只要再犯任何一个微小的错误，他就会被开除，变成一个没有工作的人。他本来以为自己并不在乎，但在不经意间，却发现自己的所有行动却变得很小心。

他不再喝酒，也不打牌，别人喝酒时，他出门抽烟，低着头走过狭长的通道，车间举架极高，左右两侧各铺着一条运输轨道,他跳到轨道里,踩着上面的锈迹前行,他比车床要低,比线圈和配电箱要低,比经过的人群也要低,一直走到尽头，才撑着铁门的底角跳上去，那时他的双腿仍十分有力。

班立新在厂里几乎很难遇见李承杰，他们之间的交情也并没有因为一次出行而变得更深，只有孩子在院子里玩时，他们才会凑到一起聊上几句。两个家庭结伴出去游玩过两次，爬一次山，看一次海，到地方之后，基本上也是各玩各的。看海回来之后，厂里改制的消息便传开了，很多人即便早有心理准备，但当事情真的来临之时，却也不知如何应对。工厂先是卖给一群人，许多人被裁掉，剩下的需要竞聘，重新签订用工合同；工厂后来又转让给一个人，更多的人失去工作，变得无所事事。折腾几次之后，班立新的工作变得十分繁重，上夜班时，通常都是一宿无法合眼，空旷的车间里，经常有重物坠地的声音长久回荡，所有人比从前要更加沉默、辛苦，即便这样，他们也只能得到从前一半的工资。

李承杰被通知下岗的第二天，特意借来一辆三轮车，他找来班立新帮忙，一起把东西搬回家。李承杰说，要走了，你那边怎么样。班立新说，勉强维持，早晚的事情。李承杰说，没想到，以前不甘心一辈子开吊车，现在觉得，要真能开一辈子，倒也没啥不好。班立新问道，新单位找到没有。李承杰说，没找，不知道干点啥好，实在不行，去建筑工地看看。班立新劝他说，树挪死，人挪活，别太担心，总有出路。

班立新看着他从储物柜里收拾出来许多东西，劳保手套、崭新的工作服、几块肥皂、两本泛黄卷边的书和一本相册。班立新坐在一旁，翻开那本相册，里面夹着许多张照片，有他和妻子的，并排骑着自行车，他穿着西服，妻子穿着极不合体的红色旗袍；还有他和同组几位工友的，有他们一起聚餐的照片，也有去郊游的，互相搂着肩膀，旁边是一块字迹模糊的石碑，李承杰站在最边上，比其他人矮上一头，笑得很害羞；更多的，是他儿子单独的照片，光着屁股坐在澡盆里的，举着玩具冲锋枪站在圆凳上的，围着粉色纱巾打扮成女孩的。再往后面翻，班立新发现，他跟李承杰在山上的那张合影也在相册里，于是他又想起那次爬山的经历，指着照片对李承杰说，我们那天被困在缆车里了，差点没下来，妈的。李承杰说，是么，我有点记不住了。

满地的啤酒瓶子，班立新已经数不清楚自己到底喝了多少，他的脑子很晕，但精神依旧亢奋，不停地说着话，跟身边的朋友讲述工厂里发生的事情，前一年他刚被放出来，在家待了几个月，母亲怕他再出门惹事，便申请提前退休，他接替母亲的工作，到工厂里上班。喝到半夜时，所有人都醉了，红着眼睛高声叫嚷，班立新去旁边的墙根底下撒尿，回来时，发现他的几个朋友已经跟邻桌的陌生人打了起来，白黄相间的街灯之下，他们奋力向前掷出自己的身体。班立新很激动地去摸自己的背包，那里面习惯性放着一把匕首。两边打得火热，他摸到那柄冰凉的硬物，刚想掏出来，却又想起自己刚满半岁的儿子，他想，如果再有两个月见不到儿子的话，他可能会十分难受，于是他又犹豫起来，捏着刀柄不知所措。最终，他拎起背包，独自向另一条路走去，他听见两个啤酒瓶子在空中相撞的声音，在长夜里显得极其清脆、尖亮，仿佛要去划破什么东西，而碎片像雨一样落下来，撒在地上，泛着零碎的光，映照着他的前路。他的脚步愈发轻盈，像是走在空中。

而同一时刻的李承杰，正在产房门口等待着，他的妻子已经推进去很久了。刚进去时，他还很焦躁，胡思乱想，随后精神有些支撑不住。在此之前，他刚上过一个夜班，开完吊车又去帮忙搬运，回到家里，早饭还没吃完，妻子便出现阵痛，比预产期要早一个月。他骑着自行车，后座驮着妻子，俩人来到医院，满头大汗地去办理手续，妻子在走廊里疼得撕心裂肺，眼神里尽是绝望。妻子被推进在产房后，他数次将耳朵贴在外门上，去聆听里面的声响，却只有空气的流动声，像是从收音机里传出来的杂音，在空中默默行进，航过全部房屋与星群。他不停地走来走去，后来有些累，便坐在塑料椅子上，回想着刚刚经历的一幕幕，沉沉昏睡过去。他睡得很深，歪着脑袋，头发根根竖立，除了儿子的啼哭声之外，什么都不能将他吵醒。

那时，他们都还没有意识到，这是多么悠长的一个夜晚，他们两手空空，陡然轻松，走在梦境里，走在天上，甚至无需背负影子的重量。

梯形夕阳

一九九六年夏天，我从技校毕业，学的是车工，学校当时已经不包分配，毕业生需自寻出路，我待业一段时间，同年九月，父亲花钱托人，将我的关系转入他所在的沈阳变压器厂，当时厂里情形急转直下，开始大批裁员，一线工人只出不进，我被暂时调入销售科，成为一名科员。介绍人跟我父亲说，坐办公室的，怎么也比干生产的强，手艺现在不值钱了。我父亲一语不发，他所在的浸漆组也是朝不保夕，集体下岗只是时间问题。

工厂业绩不佳，转型艰难，在职员工大多被买断工龄，重新竞聘，转为合同工，怨声一片。下岗职工的不满情绪则更加激烈，隔三岔五便在工厂门口聚集，站在大路两边，喊着厂长或者车间主任的名字，此起彼伏……砰砰几声，炮打青天，黄白色的纸钱在半空中开花，又纷纷扬扬地落下，迎着雾气与昏光，像一场幽沉宁静的雨。

待这些人散去后，厂内的清洁工们提着柳条扎的硬扫帚赶来，轻轻舞动，将碎石、烟头、纸钱和落叶一并扫去，堆在一起点着，风很大，火星漫天飞舞，之后又逐一熄灭，地面上残余的灰烬全被吹散，只留几道灰黑的印痕，繁盛的雨水也难以洗刷干净。我头一天上班便遇见这幅场景，很受触动，后来见怪不怪，说是为工厂送葬，倒不如说是给自己出殡，不同于往昔，如今谁也救不了谁。

厂区里总有下岗职工出现，有来办手续的，也有整理物品，或者跟工友叙旧的，甚至还有一觉醒来，照旧上班，到了单位才想起来自己已经下岗，不知何去何从，围着厂区骑车绕圈。此景凄凉，但我那时刚参加工作，正准备大施一番拳脚，斗志昂扬，时常幻想凭借一己之力扭转颓势。

销售科所在的办公楼位于厂区东侧，环境优雅，楼下有缤纷的假花坛，我每天骑自行车上班，特意留个心眼，总是将车停在装配车间的库里，装配车间的女工好看、开放又泼辣，全厂闻名，我拎着夹包，将刚配的大屏汉显 BP 机别在裤带上，整理好发型，每天在她们车间门口多逗留一会儿，希望能借此引起一些年轻女工的注意。但两个月过去后，并没有收到什么效果。我有些心灰意冷。

至于工作方面，也没取得任何进展。从我第一天进厂起，我们销售科的负责人周科长便让我学习变压器制造行业的相关知识，厚厚一摞子打印材料，蓝黑色油墨印刷，糊成一片，被翻得卷了边，里面涉及变压器的类型和基本参数,行业总体经济状况,产品特性与销售策略等内容,非常枯燥，无趣。但周科长把这些看得十分重要，督促安排学习的同时，还喜欢随机考核提问，我们私下给他起外号叫“周随机”。比方说，我上厕所小便时碰见他了，他会一边撒着尿一边问我，中国变压器市场上有能力生产500kV变压器的企业有几家？我必须立即回答出来，总共有五家，其中包括我们沈阳变压器厂、湖南衡阳变压器厂、陕西西安变压器厂、河北保定变压器股份有限公司、上海阿尔斯通变压器有限公司等。然而，只回答出这些还远远不够，周随机看你停下来，尿液会悬置于半空，严厉地质问道，还有呢？撒尿不能只尿一半吧，话也不要只说一半。你必须继续补充道，能生产220kV变压器的企业不超过二十家，生产110kV级的企业则有七十家左右，其中以北方居多，而年产超过百台的企业，普天之下，寰宇之内，只有我们一家。周随机听后点点头，双腿微曲，抖抖下身，语重心长地说，记住了，这些都是你以后的竞争对手，以后跟外面办事也是，说话要说完整，不要说半句话。我说，周科长，您放心，我都记住了，我还没说完呢，近年来，沈阳变压器厂通过引进国外先进技术，使变压器产品在品种、水平及高电压变压器容量都有了大幅提高。目前，我们生产的变压器品种包括超高压变压器、全密封式变压器、换流变压器、环氧树脂干式变压器、组合式变压器、油浸式变压器、卷铁芯变压器。此外随着新材料、新工艺的不断应用，沈阳变压器厂还会不断研制和开发出各种结构形式的变压器，永远走在行业的最前端，今时今日，我以我是沈变人而自豪万分。周随机十分满意地提上裤子，伸出溅满尿液的大手，拍拍我的肩膀，说，小伙子不错，工作很上心，咱们回办公室吧。我说，周科长，您先回，我还没尿呢，刚才光顾着回答问题了，太紧张了，尿泡都要憋炸了。

后来我才知道，周科长的那一摞材料上写的也都是半句话。补充完整的话,其中一句应该是,其中年产超过百台、而销售不超过二十台的企业，普天之下，寰宇之内，只有我们一家。

年关将至，周随机仍没安排给我任何销售任务，他开始频繁失踪，神出鬼没，很难找到，女科员小柳负责替他传达指令，随机问答次数骤减，我也逐渐松懈下来。厂区基本停转，工资已经拖了两个月，据说过年也没有钱发，我心里很着急。这时我刚交了个女友，两人经常吃饭，逛街，看电影，开销较大，女友名叫张红丽，是我的小学同学，住我家附近，彼此算是比较了解，她是单亲家庭，跟她妈一起过，娘俩在南塔兑了个床子卖鞋，家庭条件比我好一些。张红丽很早就不上学了，长相虽然一般，但喜欢穿着打扮，在我们那一带名声并不好，跟好几个人纠缠不清，不过我觉得无所谓，至少她对我还算不错，没处几天，便送我一双红褐色的大利来皮鞋，穿着特有派，像做买卖的。唯一不太适应的，是每次跟她约会时，似乎都会闻到一股强烈的皮革味道，她说鞋城里面都是这种味道，今年流行的水牛皮，喷半瓶香水也遮不住。我听到水牛这两个字时有些走神，会想起一部以前看过的电视片，里面有许多死去的水牛，一生为人役使，温驯而沉默，最终倒在河畔。

我带着张红丽打两次台球，吃过几顿饭，然后就想着怎么把她往录像厅里领，有些事情我相信她的经验比我要更丰富，那些我反复揣摩的，她或许早已心知肚明。当天跟她吃的是朝鲜烧烤，期间我装成一位熟谙工厂状况的老员工，将许多听来的奇闻讲给她听，之后又喝掉数瓶啤酒，披上大衣，搂在一起出了饭店。我说，别回家了，没意思，咱俩去看会儿录像。张红丽说，你去吧，我可不去。我说，别啊，来的时候我都记下节目单了，今天放的片子特别好，《风尘三侠》《香蕉成熟时》《妖街皇后》《不道德的礼物》，精彩不断，半夜还有加片呢。张红丽撇着嘴说，没一个听着像正经片子。

来到录像厅之后，我便开始隐隐后悔。这两年我没怎么去看过录像，不大清楚里面的变化，我印象里的录像厅仍停留在那一套刻板的描述里，男女暧昧成对，依偎着长椅上难分难解，迷离又催情，但这里完全是另一幅样子，环境肮脏凌乱，满地的糖纸和瓜子皮不说，挥之不去的烟味、臭味和汗味也令人作呕，这些味道仿佛凝固在空气里，永远也散不尽，除非将此处炸为平地。低矮的顶棚，肮脏的围墙，让人倍觉压抑，四五十平方米的室内，几十人围坐在一台二十九寸电视机旁，密切关注荧屏上发生的一切，两个音响吊在墙角，一惊一乍，声音很大，但依然没有盖过这群人所发出的低语声、咀嚼声与鼾声。我和张红丽推开油腻的厚门帘进入之后，坐在倒数第二排的长椅上，前面的人不时回头向我这边看，我定了定神，之后发现，张红丽也许是这里唯一的女性，无论是前排的民工还是旁边的中学生，看她的眼神都十分猥琐，饥渴地提着眼眉去瞄张红丽的大腿。我顿觉恼怒，又沮丧又挫败，想举起拳头去捍卫点什么，却不知应该打向何处。屏幕上的梁朝伟以光头形象扮演自己的生殖器，我看见前面有人把手悄悄伸进自己的裤兜里。张红丽深深地低着头，不看屏幕，也不说话，样子十分拘谨，她深重起伏的鼻息里流露出明显的羞怯与不自然，甚至还有怨恨情绪。那一瞬间，我忽然对她丧失全部兴趣，很想就此一走了之，却一步也迈不动，像一面残破的白旗，被钉死在窸窸窣窣的黑暗里，无能为力地向全世界宣告投降。

大概总共待了不到半部电影的时间，我们便离场出门。

外面的风很大，还下起了一点雨，雨丝既凉又锐，能刺进骨头里，我们没有伞，走在其中就更加难受，我心情低落，一路上都没怎么说话，张红丽也是。刚出来的时候，我看见她的脸很红，热腾腾地散着白气，后来被风刮得好像更红了，像冻坏的梨，我很想把手从裤兜里掏出来，捂上去暖暖她的脸，却始终也没有鼓起勇气。

此次分别之后，我便再也没有约过张红丽。春节放假前，单位还是没开工资，但分了一些东西作为福利，刚下岗的也都有份，算是最后一次大发慈悲：每人两桶豆油、一袋大米、一箱带鱼，还有一副对联。我给张红丽挂了个传呼，留言是：晚上给你家送鱼，渤海第一刀，大连野生。她没给我回消息，结果当天晚上我也没去。第二天早上，我妈说厂里不是发对联了么，你给贴门上去，省得再去买。我捧着一碗热腾腾的糨糊来到门外，抻开对联一看，上联是“沈变腾飞指日可待”，下联是“心不下岗再创辉煌”，横批“春暖人间”，看后我直接撕了，又下楼买了一副新的贴上。你妈了个逼的，春暖人间。

春节假期刚过，单位里还是没几个人上班，正月十五之后，厂区里才有了一点生气，食堂的不锈钢大锅里煮了元宵，我连汤带水地喝下三碗，又慢悠悠地点了颗烟，挺着肚子踱步回办公室。尚未坐稳，小柳便过来喊，说科长有事找我。我连忙赶过去，进屋之后，周随机示意我坐在对面的椅子上，跟我说，知道找你啥事儿吗？我说，科长，你随便考，我都背得滚瓜烂熟了，但现在吃得有点撑，反射弧可能拉长了，你不着急的话，我想好了慢慢回答你。周随机说，不是这个事，今天先不考试，有人举报你了，违反乱纪，在厂里影响很坏。我说，科长，这话说得不对，我饭量是有点大，吃了三碗元宵，但我也是身不由己啊，很难控制，吃不饱就没办法背题。周随机说，好啊，你说了我才知道，三碗元宵，那都是有定额的，你都吃了别人怎么办，这又是一个事儿，我们回头再细算，今天找你，是因为听说你年前把厂里发的对联撕了，说说吧，你对厂里有什么意见，我听听。我说，科长，那可真是个误会，对联不是我撕的，发给我时就是坏的，我本来想给粘好，结果手太笨，彻底给撕坏了，我对厂里特别忠诚，虽然我来的时间不长，但已经建立了极为深厚的感情，一日沈变人，浑身沈变魂，众所周知，沈变是与新中国一起发展壮大的，从一九四九年起由一个小型干式变压器厂发展成中国最大、技术最先进的国家重大技术装备企业……周随机说，行了，打住吧，比我背得都明白，其实今天找你，主要是给你分配任务，要上前线了，练兵百日，用兵一时。我一下子打起精神来，说，科长，您安排吧，我肯定努力完成，不辜负您和沈变对我的栽培教育。周随机说，目前厂里资金紧张，工资发放很困难，职工过日子都很成问题，迫在眉睫啊，现在安排你帮厂里去收一些回款，收回来的按照销售额提成，人手有限，没人带你，不过也没关系，一回生两回熟，这也是锻炼你的好机会啊，你自己收拾好了就可以出发，带好相关文件，去找他们单位采购和财务部门，好好谈谈，要有技巧，也要有底气，不要畏惧困难，有沈变在后面给你撑腰呢，期待你的好消息，早日凯旋。

火车开过桥面，天气很好，两侧的冰已经开始融化，大块大块地掉落到闪闪发光的河水里，没入水后又浮上来，荡出一层轻微的波浪，最终缓缓漂走，融于远处，车窗和夹板上都有水滴不断溢出，世界汗如雨下。我揣着介绍信、单据和预支的费用，坐在下铺，手里握着一个洗好的苹果，盯了半天，不知从何处下嘴。

一条河将整个镇子分成南北两个区域，南面有耕地，大片的稻田，朝着阳光，始终趋于暖意，即便是在初春这种荒缺之时，也显得颇有生机。几处平房散落其间，盖得规整、方正，门口垛着绑紧的柴，烟从房顶上飘出来，迎着下午白亮的光，盘绕着消散于青灰色的天空里。北面则是新城区，风总是直直地吹下来，由上至下，街道由光洁的水泥板铺成，刚盖起来的砖楼摆成八卦的图样，据说为了震住一座古坟，是谁的坟呢？我问蹬三轮的师傅，他对我说，不是人的，是土龙的坟，土龙嘛，学名叫鳄鱼，去年这里施工破土，钻头下去打地基，开始是湿泥，紧靠着河，泥巴到处飞，后来打出原土来，又硬又臭，像是焊在地上的，钻头下去直冒火星，没两天，就出了细碎的白骨，一节一节的，互相扣着，像一道链锁，施工队长有点担心，停工上报，市里面派人过来，也没仔细考察，便说是鳄鱼的骨头，不就是鱼刺儿嘛，没啥价值，继续往里砸就行。但队长为人比较迷信，不敢轻举妄动，说啥也不再往深里打，偷摸就在上面起了楼，地基是斜的，上面当然也好不了，你看，这还不到一年，就那座楼。

我顺着他的手指遥遥望去，竭力观察河岸边上矗立着的那几排楼，而他奋力指出来的一座，看上去跟其他并无不同。他说，离得太远了，看不出来，等太阳下山时候，你再看看，像栽着肩膀的人，左高右低，缝隙里射出来的光都是歪的，呈梯形，彻底斜了，三轮师傅继续说，而且底下还在塌呢。我说，真危险，那这里有人住么？他说，怎么没有，有的是，我家就住这个楼里，毕竟有暖气，集中供暖，这个冬天你家多少度，我家二十七度，天天吃雪糕降温。我说，楼歪了不影响你们的日常生活吗？三轮师傅想了想，说，也没什么影响，就是住在我们楼里的人，在外面走路时都一脚高一脚低，像踩在泥里，总是崴着走，也跑不快，但蹬三轮还行，单腿能使上劲儿。

三轮师傅把我送到电厂门口，擦去头上的汗，跟我说，五元，人民币，谢谢老弟照顾生意，都不容易。我说，刚才咱不说好三块钱的么。师傅说，嗨，你不听故事了吗，故事两块钱，再说你可怜可怜我，楼都歪了，床也是斜的，天天跟媳妇办事时我都直往下出溜，生活过得太吃力了，加两块钱多吗？真不多。

电厂里遍布着清晰的废气味道，这里的空气仿佛是由可燃成分所组成的，厂房锈迹斑斑，挂着木牌的锅炉车间和燃料车间紧紧相邻，两者之间只缺一条细细的导火索，便可以一并灰飞烟灭。我踩在铁屑与煤渣上，望着近处孤高的烟囱，只觉一阵晕眩，睁不开眼，看来这里的世界确实是斜的。在一间厂房的墙根底下，我见到了三个穿制服的保卫人员，歪戴帽子，正蹲在地上扇扑克，我走过去打招呼说，您好，我是沈变的，来这里办点事情，请问咱厂子的财务科在哪里。其中一位岁数较大的，警惕地将展开的扑克收在手里，然后竖着眼睛反问我，你是来干啥，要找谁。我只好重复一遍，我是从沈阳来的，来找咱们单位的财务人员，解决款项方面的问题，你看这个升压变压器，就是我们厂子生产的。门卫说，那你得找财务科长。我说对。他扬起一只手，指了指天空中的烟囱，说，去吧，他就在那里边呢。说完扭过头去，朝着另外两个人抿嘴偷乐。我说，大哥，别开玩笑，那不是烟囱么。他说，对啊，上礼拜他跳进去的，据说爬了一个多小时呢。我说，我操。他接着说，好人呐真是，自杀连带火化，都不给殡仪馆添麻烦。我说，那我的款怎么办。他说，我他妈怎么知道，反正你别在这闲晃了，该去哪去哪。我听着有点生气，于是对另外两个人撂下一句，他手里捂着仨尖儿俩老K，然后扭头就走了，我听见另外两人一直在笑。

出师不利，有点晦气，我走到厂区门口，想着如果这样回去，肯定是不行的，势必会被周随机猛烈批评，于是便在电厂的招待所开房住下，躺着看了小半天电视，喝了两壶茶叶，眯了一会儿，醒来之后已经天黑，下楼去招待所的餐厅吃饭。此时一些下了班的工人也来这里喝酒吃炒菜，看样子已经喝了不少。我点了一盘地三鲜，一盘黄瓜拌牛腱子，还要了两瓶当地啤酒，一边吃喝，一边想这个款我该朝谁去要。

刚喝完一瓶啤酒时，我听见旁边桌子有人问道，李薇，你跟赵科长在一间屋里办公，他到底为啥爬烟囱呢，你说说原因。女孩没理他，自顾自地举杯说道，少废话，相聚都是知心友，我再喝俩舒心酒，你陪不陪一个。那人接着说，我觉得是财务问题，要不然就是男女关系没处理明白，要不然也不至于，烟囱那么高。女孩说，能不唠这事儿了么，我啥都不知道，你这杯赶紧喝了，养鱼呢跟我，来，酒都别停，倒满，举起来，来，山不转水转，你不干我干。

第二天早上，我起来得很早，时刻留意着隔壁的声音。

昨天夜里，那个叫李薇的女孩后来应该是喝多了，他的几个朋友搀着她回来的，动静很大，直接给她在我隔壁开了间房住下，又吵又闹，还唱了半宿的歌。早上七点半，我听见隔壁有水声，便把门半敞着，打开电视，坐在床上抽烟。

三四根烟的功夫，我正哈欠连天时，听见李薇从隔壁出来了，正在拧钥匙锁门，我连忙提着包出去，跟在她后面一起下楼，她看起来比昨晚要憔悴一些，头发凌乱，脸色发白，眼睛无神，一副没睡醒的样子，但细细打量起来，五官倒是十分精致，一对儿笑眼。她走出招待所时，我在假装熟人的语气在后面喊道，李薇，嘿，李薇，等我一下啊，走那么快干啥。她转过身来，我笑着迎上前去，她满脸困惑，仿佛不相信我喊的是她的名字。

李薇坐在转椅上，双手撑在中央，屁股左右来回拧动，椅子上的海绵露出来一块儿，像是呕出来的秽物，在我眼前反复晃荡。我看着头晕，说，你好，李薇，咱能别转了吗。李薇说，不能，以前赵科长就这么转的，我就坐在你的位置上，你感受一下曾经的我，恶不恶心。我说，感受到了，曾经的你是挺恶心。李薇说，我呸！你他妈说谁呢！钱没了！我说，别别，我最恶心，好不好，求你给我想想办法，真的，这是我的第一个任务，收不回来款，没办法交代，搞不好工作都没了，本来现在班儿就不好找。李薇说，跟我有屁关系啊。我说，跟你当然没关系啦，但咱们挺有缘分，住过隔壁，也算邻居，远亲不如近邻，你帮我出出主意，事情办好了，我肯定使劲儿报答。李薇想了想，拍着桌子说，饿了饿了，走，先去吃早饭。我说，怎么还饿啊，你们昨天喝到那么晚呢。李薇说，唉，后来都吐干净了，胃里泛着空。

厂区右侧拐角处是一条颇窄的马路，窄路两边的灰杨树枯瘦而怪异，树身布满坑洞，枝干张牙舞爪地伸向天空，树后是一排饭店，都是平房，有铁皮焊的，也有砖砌的，至少七八家，有饺子馆，烧烤店，还有大盘子家常菜，但在早上，每家都经营着同样的品种，馃子，咸菜，浆子，豆腐脑，我吃不下主食，只要了一碗浆子，舸几勺白糖倒进去，就着咸菜丝儿喝，李薇坐在塑料凳子上，两条细腿儿搭在一起，穿着运动鞋，露出一截白色的袜子，挺有朝气，显得很干练。老板拣刚炸好的馃子扔进塑料筐里递过来，李薇拈起一根就往嘴里送，张开大嘴，狠狠咬上一口，油星儿落在下巴上，我给她递过去两张餐巾纸，说，文明点儿吃，没人跟你抢。李薇边大口嚼着边说，你挺欠啊昨天，偷听我们说话。

半碗浆子还没喝完，几个门卫走了过来，坐在旁边桌子上，其中就有昨天被我透牌的那个，他不看我，但翘着指头跟别人说，就他妈这小子，昨天搅局来着。我说，说谁呢你，大点声呗。他还是不看我，转而对李薇说，小薇啊，这人你认识么，你认识的话，我就给你个面子，不削他了。我刚想说你来削一个试试。李薇在旁边说，徐叔，我认识他，他就那样，特欠儿，走哪都欠儿，你别跟他一般见识。门卫说，你认识啊，那就算啦，以后注意点儿就行，那啥，小薇啊，这个月工资能按时发不？ 李薇说，我也不知道啊徐叔，财务科现在就剩我一个人儿了，不知道下一步怎么安排呢。

回去的路上，我说，怎么可能呢，这么大的厂子，财务科就你自己？李薇说，人都走了呗，跳烟囱一个，辞职出去打工的俩，还有一个在家带孩子的，就剩我自己了。我说，那你要升官了，科长这职位以后就是你的啊。她说，升屁官啊，我也准备走呢。我问她走哪儿去。她说，反正不能在这待着了，你刚来的，可能不知道，我们这儿今年要出大事，河边的楼都斜了。我说，这个我可知道，地基没打好，碰到鳄鱼的骨头就不打了。李薇说，屁鳄鱼啊，有没有文化常识，东北自古以来也没有鳄鱼啊，挖到的那是龙的骨头，有头有尾的龙尸图，跟天上的星象对应着的，懂不懂，现在被毁了，上古阵法被破了，都说今年会发大水，咱这河两边儿都要保不住，到那时候，洪水一冲过来，两岸猿声啼不住，你懂不懂，太惨了。我说，这句诗原来是形容发大水的啊，我刚知道。李薇白了我一眼，说，你这几天可以在我办公室待着，因为比较空，我自己待着还挺害怕的，但不能打扰我，不能抽烟，更不能跟我闲聊，明白么，因为我要背题。我说，你们也背题啊，我在单位也天天背题。李薇说，你背啥题，我背知识竞赛的题，香港要回归了，咱们厂子搞比赛，我拿个三等奖就行，双人电褥子，最近湿冷，有个电褥子我能少遭点儿罪。

李薇捧着材料背题时，我出门往厂里的办公室打了个电话，周随机没在，小柳接的，我跟她说明情况，事情有点难办，负责人跳烟囱了，自杀连带火化，可能涉及男女问题，也可能不是，总之现在没人管财务这方面的事情了。小柳说，你说我的转达给周科长，另外我跟你复述一遍科长的最新指示，他让我跟你说，厂里情况不妙，又有工人在闹，钱能收回来多少算多少，但一定要抓紧时间，科长说了，这次能收回来多少，立即按比例提成，另外再多给你提一个点，史无前例，机会就在眼前，看你的了。我说，是是是，谢谢小柳，保证努力，收回来款，我第一个请你下饭店，咱去吃风味楼。小柳说，加油啊，其实咱们科长还挺看好你的，背地里总夸你记性眼儿好。我说，能要回来钱才是真本事。

我再次回到财务科时，李薇正在屋里数着节拍跳健美操，一二三四,二二三四，动作协调、机敏，像一只在水泥地上四处窜动着的燕子，我注意到她穿的那双运动鞋变白了，又亮又湿润，好像刚刚刷洗过一般。见我回来之后，她不跳了，用手给自己扇着凉风，喘着粗气甩给我一沓纸，说，来，你考考我，检验一下我的学习成果，还有不到半个月的时间就要比赛了。我翻开一看，全是跟香港回归相关的题目，我清了清嗓子，从里面挑题问她，英国是通过哪三个不平等条约占领香港的？李薇立即回答说，南京条约，北京条约，展拓香港界址专条。我接着问，香港经济的四大支柱产业是什么？我还没说选项，李薇便回答说，金融服务业、旅游业、贸易及物流业、房地产业，嘿，怎么样，我挺厉害吧。然后我把材料扔到茶几上，跟她说，下一题，香港回不回归，跟你这个镇电厂的出纳员，到底有啥关系啊。李薇将手头的账本朝我扔过来，生气地说，去死吧你。我双手接住账本，正准备仔细翻看，她又猛然窜过来，一把抢了回去。

每隔一天，我都会给办公室打回电话，汇报工作进展，在此期间，周随机只跟我通话一次，语气诚恳，说一定得要回来些钱，不然厂里要哗变了。我说，领导，你用词太典雅了，我先查查哗变是啥意思。单位里的小柳倒是经常帮我出谋划策，说实在不行，你逐个击破，从你刚认识的女出纳入手，给她许诺一些好处，逐层渗透，一步一步去接触厂长。我便死皮赖脸地去恳求李薇，让她帮我去引见厂长，李薇一直推脱，说厂长也要钱去了，咱们的账上没现金，他不敢轻易露面；你等着吧，等我竞赛获奖了，高兴的话，就去给你说两句好话。我说，工资都没有呢，拿啥给你发奖品。她说，这你就不懂了吧，竞赛是工会搞的，咱们工会有的是钱。

那段时间里，我基本上白天都在李薇的办公室里陪她背题，或者在她跳健美操时帮她数拍子，指导动作是否标准，晚上我们则搭伴去招待所或者厂区旁边的饭馆吃饭，她喜欢吃辣爆肉丁配米饭，我心事较重，饭量锐减，喝了啤酒后，就只能吃得下拌腐竹之类的小菜。我尝试着给她倒过几次酒，她一口不碰，说自己喝上酒就控制不住，醉酒的样子又实在是太难看。吃过饭后，一般是她回家，我回招待所，有时她觉得自己吃得有点多，内心有负罪感，我们便会去河边散步。镇上的风很大，尤其是晚上，上方来的风卷入水里，激发不同方向的水浪，相互吞噬、碰撞，哗啦哗啦，像是很多人在说话，我觉得河里的水都要被吹干了，根本不可能倒灌入岸，李薇则认为在不远的将来，或许就是香港回归之前，奔腾着的水浪便会漫天袭来，残余的龙骨会搅起一道几十米高的水墙，淹没稻田、楼房和灯，然后人们只好枕着浮冰、滚木，或者干脆骑在铁板上，被大地的力量温柔地推动着，驱逐、冲散，从此天各一方，这里永远变成海；而从前认识你的那些人呢，他们之中的任何一个，你都不会再见到了。我说，运气好的话，也许你会被冲到香港呢。李薇瞪我一眼，说，不想去香港。我说那你要去哪里呢？她说，要是能选择的话，能把我冲到塔吉克斯坦就好了，我爸在那边施工呢，去两年了，你们变压器厂接的项目，他外派过去设计电路，要在列加尔扩建一个出线间隔，线路从南部向北部延伸，绕开哈贾-纳赫什朗建筑遗迹，翻越塔吉克北部最高的安佐布和沙赫里斯坦，最终缓解南部冬季枯水期用电紧张的问题，能听懂吗你？我摇摇头。她接着说，看你也没什么文化，学过地理没，塔吉克斯坦，中亚高山国，东南部是冰雪覆盖的帕米尔高原，世界屋脊，全部活水的源头，我们这条河里的水也是从那里流过来，那里春夏飞雪，昼夜飘风，冷极了，唯物主义的那种冷，所以其中最高的山峰叫共产主义峰。在共产主义峰上，一切都将得以解释，也包括爱恨和生死，据说当地有首歌，只有一句歌词，咿咿呀呀反反复复地唱，翻译过来是说，世界就是两道门之间的路。那里是没有龙的，但远远望去，嶙峋起伏的山峰也像一条龙，一条白色的冰龙，正在矫健地穿越，身躯化作抽打万物的巨浪，腾空而起，过几道狭弯，然后在某处猛一转头，无声地凝视群山。我说，我操，牛逼，听着都冷，冻死我了，咱们回去吧。

回去的路上，我心有不甘，越想越觉得冷，浑身发抖，便报复似的一把拽住李薇的手，她试图抽出去几次，没有成功，我攥得很死，生怕她跑掉一般，后来我的手里出了很多汗，变得滑腻，李薇也不说话，胆怯而虚弱，唯有起伏不定的呼吸声印证着她的存在。经过招待所门口时，我很想拉着她上楼，但不知该如何使用身体语言委婉地表达出这层意思，她趁我注意力涣散时，迅速将手抽去，扭头便走，脚步急促，我站在原地不知所措，走出几步，她又转过头来，抬起眼睛低声嘟囔了句，我先回家了。我说，好，好。

第二天，我照例在上班时间去财务科报到，但李薇却没来上班，科室大门紧锁，我只好沮丧地回到招待所，数了数带出来的钱，已经所剩无几，泡了碗方便面，吃完继续睡觉，睡到中午起来，发现传呼里多了一句留言，我的大连野生带鱼呢，落款只有一个字，丽。即便相隔遥远，我也瞬时闻到了那股强烈的皮革味道，张红丽的这条消息让我很脸红，上次在录像厅的经历实在不算愉快，那副情形与让一群男性围观她的裸体无异，她并未因此大发雷霆，于我而言已是幸运，而我不仅没有主动致歉，之后说过的话也没兑现，如今还是对方先发来消息，给我找个台阶下，这么一想便更加惭愧。我下楼往张红丽的商场里打了个电话，温和地表达了歉意，然后跟她解释说这些日子里我要账不顺的事情。张红丽说，你过年都不来我家，一句话也没有，当时真的不想理你了。我连忙说，是我不对，回去我一定补上，目前收不回来款，压力很大，内忧外患，每天都很受煎熬。她听后叹了口气，说，实在不行咱不上班了吧，你来鞋城给我帮忙，最近生意还可以，我和我妈俩人有时忙不过来，雇外人又不放心。我说，那哪能行呢，再咋的也不能让你养我啊。张红丽说，我反正觉得无所谓，你自己决定吧，继续上班我也支持，回来了想着找我就行。我说，好，好。

挂掉电话后我想了想，干脆回去算了，来了十几天，钱马上花光了，连厂长的影子都没见到，款项问题更是毫无进展，天天陪着一个出纳员准备知识竞赛，实在令人丧气。我开始收拾行李，并准备去买返程车票，刚把晾晒的衣服收起来，便听见有人敲门，我一开门，发现李薇站在门外，头发利索地扎在后面，穿着一身我从来没见过的衣服，颜色很艳，她进屋巡视一圈，然后坐在床上说，怎么着，你要携款潜逃啊？我说，一分钱我都没收回来，我往哪逃啊。李薇说，那你是不是畏罪潜逃啊？我说，可别乱讲，我遵纪守法，本分做人，有什么罪啊。李薇盯着我看，俏皮地说，少装傻，你昨晚犯了什么罪你不知道吗，来吧，跟我走，我帮你把厂长找回来了。说完拉起我的手，直奔厂区跑去。

之后的那两天里，我仿佛交到了一丝忧愁的好运。厂长并不如我想象那种狡诈难缠，相反，他像是个真正的庄稼汉，从稻田里生长出来，黝黑结实，粗糙的大手握过来，声若洪钟地跟我说，请理解，我们是兄弟企业，如今各有各的难处，我们的工资也发不出来，东挪西借。我说，是是是，经济大环境不好。他说，但是，也不能让你白来，李薇三番五次来找我，磨破嘴皮子，把具体情况都跟我讲了,你们厂子确实遭遇到比较大的危机,前所未有啊。我说，谢谢您的理解，的确如此。他接着说，所以我制定了一个方案，你看是否合理，就是我们现在立即付给你尾款的百分之四十，然后将之前全部的账目一笔勾销，这个方案听起来有些不算妥当，但其实最合理不过，当然，你们也可以不接受，但那样的话，我也无能为力了，我们也要生产，要吃饭，要搞文体活动。我说，厂长，你说的我都懂，但百分之四十太少了，这个事情我做不了主，涉及数目挺大的。他说，不用你做主，去跟你们领导研究一下嘛，好好探讨探讨，反正我是不着急。

从厂长办公室出来之后，李薇正在外面的走廊上来回闲晃，她见我出来，连忙跑过来问我情况怎么样，是不是帮了我的大忙。我说，你们厂长这是趁火打劫啊，花四十万就想解决一百万的事情。她一撇嘴，说，你就知足吧，这都不知道费了我多少口舌，别人可没这待遇。

我往厂里打回电话，小柳接的，周随机又不在，我说他怎么一天老也不上班，小柳说他现在白天不怎么敢来厂里，追债的太多，全国各地的客户对他进行围追堵截，咱们财务科可能要改夜班制了。我跟小柳说明情况，小柳表示会立即向上汇报，并安慰我说，不管怎么样，总算有点眉目啦。我苦笑着挂掉电话。没过半个小时，小柳打来传呼，我回过去，小柳说，你这次立了大功了，咱们厂长和周科长都很高兴，能有钱回来就不错，按照对方说的办，签好字据，但是记住，钱不要直接汇在厂子的账户里，直接汇到我的私人账户上。我说，这是为啥呢。小柳说，汇到厂里账户上，银行方面就会知道，可能就要直接充账了，汇到我个人账户上，回头直接安排职工来办公室领钱，这才能解燃眉之急，你说对不对，得先可着咱们职工来，老百姓们还得过日子呢，反正那些来要账的又饿不死。我说，小柳，你说的有道理，以职工为本，符合我厂一贯作风，但能让周科长再给我回个消息确认一下吗。小柳说，那没问题，你再等等啊，天黑以后，他就来上班了。

下班之后，我和李薇来到招待所的餐厅，还没坐稳，李薇喊服务员说赶紧上酒，庆祝一下，然后跟我坐在同一撇儿，挎着我的胳膊，脸贴过来，说道，怎么样，还得我出马吧，今天好好款待我，高兴了我明天就给你们汇款。

我说，你要是能早点帮我找到厂长，事儿早就办完了。李薇说，呸，我不得看看你的表现啊。于是倒满一杯，举起来跟我碰，她连喝好几杯，兴致很高，我心里还在隐隐担忧，不敢放松，还没到八点时，她已经喝掉四五瓶，我捏着杯子，心绪不宁，酒咽得很吃力。

这时我接到周科长的传呼，立即跑去外面回电话，周随机那熟悉的声音又响起来了，先是对我的工作表示肯定，又对我的解决策略表示赞许，最后明确地说道，款汇到小柳给你的账户里，厂里自有安排，记住，无论何时，我们厂子都会把职工的利益放在第一位，无论有多艰难，也会尽力保障职工的权益。我说，懂了，机科，哦不，周科长，您放心，明天我就催他们安排汇款。最后他又说，你这次表现很不错，那么我再考考你啊，我们在超高领域，交流750kV输变电项目的情况还记得吗？我说，科长，真记不清，这些天里，脑子里想的全是要账的事情。周随机说，你看看，这才几天，就荒废了，记住，即便是出差，也要经常复习资料，加强整体业务素质，要时刻做到心中有个变压器。我说，好，好，现在有了，我心里还有个法拉第。

挂掉电话后，我的心情比之前疏朗许多，李薇见我状态放松下来，也很开心，我们又点了几轮啤酒，她醉得很厉害，最后是我搀着她回到房间里，一路上，她不断地跟我说，我可比你大一岁半呢。我说，知道了，你厉害。然后坐在床边时，又跟我讲，这个月处理完厂里的事务，不在这破地方待了，天天做梦都是大洪水，水里还有蛇、羊和草，有一天还梦见你了，也在水里，离我本来挺近的，但怎么扑腾也游不过去，你伸着手也拽不到我，急得要死，后来一个浪从我俩中间打过来，你也消失不见了，就剩我自己，大雨浇得我睁不开眼睛。我说，知道了，知道了，你最厉害。我凑过去一把搂住她的肩膀，嘴唇贴在她的耳朵上呼热气，她推开我，接着说，你别闹，我还没讲完呢，当时在梦里啊我就想，也不是说非得跟你怎么样，但在那么大的洪水里，两个人总比一个人强，你说是吧。我说，那是，那是。李薇说，所以说啊，真的必须要走了。我又凑过去，说道，你要是愿意的话，跟我一起回沈阳呗，沈阳没有海，但风很大，一吹起来满嘴沙子，牙咬得咯吱乱响，也没有意思。李薇拉着我的手说，我不怕没意思啊，从小就没意思，没意思好多年了都。我说，你想好了就行。李薇说，再等几天，怎么我也得比完赛，要不白准备了，沈阳也挺冷，我得带着我的电热毯去。

竞赛之前的那天，我陪李薇复习到半夜，她将全部考题背得相当熟练。我问她，付出这么多，只为一个电热毯，值么。她说，以前觉得值，现在跟你在一起吧，好像也不怎么需要电热毯了，我得再想想，一等奖是啥来着。

工会活动都在机修车间的工具库里举办，工具库分上下两层，各自二三百平米，墙壁两侧分别是铁架与铁箱，空间宽敞、开阔，竞赛跟在学校考试没有区别，工会主席负责监考，场地中央稀疏地摆上单人的桌椅板凳，每个人发上一张卷子进行答题。发卷之前，我站在门口，听见主席致辞：月儿弯弯照海港，夜色深深灯火闪亮，东方之珠，整夜未眠，守着沧海桑田变幻的诺言。百年沧桑，百年香港，一国两制，伟大构想，和平回归，紫荆盛放。同志们，七月一日，香港即将回归到祖国的怀抱，这标志着香港同胞从此成为祖国这块土地上的真正主人，香港的发展从此进入一个崭新的阶段，相信大家的心情跟我一样，也是激动万分，那么，在这个普天同庆的日子到来之前，咱厂特此举办本次知识竞赛，意在了解香港的历史、认识香港的今天、展望香港的未来，当然，成绩优异者也有相应礼品作为奖励，那么希望大家在接下来的一个小时里，诚实答题，不要交头接耳，遵守纪律，尊重香港。

李薇拿到卷子后，迅速来回翻看一遍，对着门外的我比出一个 OK 手势，然后胸有成竹地开始写答案，门逐渐掩上，我走出厂房。在厂区的大门外，我想点根烟，但我的手一直在抖，点了几次都没成功。跟我有过节的那个姓徐的门卫，此时正在巡逻，看了我半天，径直走过来，用手掩住火，帮我点着烟，我也回敬给他一颗。他说，兄弟，你的手冰凉啊。我没说话。他说，要走了吧。我说，是。他说，自己一个人走吗？我又没说话。他说，一直待在咱这儿，不也挺好。我说，你这话啥意思？他说，太冷了，我回岗亭了，你抽完烟记得踩灭，对了，我其实不怕你告诉别人我手里的牌，就算你都念一遍，他们也记不住。

腰间的传呼震动不停，我低头一看，张红丽让我速回电话。我找到电话，颤着拨过去，她的声音很温柔，问我什么时候能回去。我说快了快了，估计也就明后天。她说你前天你就说款已经打回来了，还在那边待着干啥。我说，这个你不懂，又不是卖鞋，一手交钱一手交货，还有很多后续工作要处理呢。张红丽小声地说，快点回来吧，挺想你的我还。我心虚地说，我也是，我也是。挂掉电话时，我的手心里全是汗水，泛着湿润的光芒，我仿佛又闻到了那股强烈的皮革味道，一阵晕眩袭来，世界在倾斜，死而复活的水牛向我涌来，双角高扬，步伐坚实有力。

李薇将款打过去的当天，我给办公室拨去电话，问小柳是否收到款项，她回说银行效率低，暂时还没有查到，但对我表示恭喜，并羡慕地说，这一下子你能赚好多提成啊，好几千块呢，真有能力。第二天再次拨去电话时，办公室无人接听，我想也许是在开会或者有集体活动，第三天我又拨过去，白天和晚上都在打，也是一样的情况，耳畔只有空旷的回声。今天早上，父亲给我打来电话，问我怎么还不回去，我骗他说款还没收回来呢，需要多待几天，其实这两天我都在陪李薇。父亲说，估计你也没收回来，一般人可干不了这活儿，那你抓紧回沈阳吧，我听说你们科长跑了，带着一个姓柳的会计，是你同事吗，可能是私奔呢，嘿嘿。我心里一颤，问他说，确定么。他说，不确定，听说而已，但要是真的，那可就有意思了，老周都这岁数了，还搞破鞋，以他老婆的性格，等着家破人亡吧，嘿嘿。我问他，你们这个月的工资发了么。他说，还没有呢，在这个方面，你千万可不要学你们领导啊，搞得最后没办法收场。我说，没事我先挂了，还有很多工作要做。

从厂区走到河边，大概需要四十分钟。昨夜刚下过一场雨夹雪，路途泥泞，两侧的坑陷被雨水填满，水潭上覆盖着一层皱着的薄冰，风从衣服领子里齐齐灌入，身上和手心里的汗全被吹干，我抬头望去，远方有一片阴沉散漫的云，桥上有一列孤零零的火车头，突兀而缓慢地经过，拉着悠长的汽笛，不知在向谁呼喊。传呼机又震起来，李薇发来消息，说，已考毕，估计一等奖，你在哪里，招待所见。

我在看河，从塔吉克斯坦流过来的那条河，水势平顺，藏着隐秘的韵律，梯形夕阳洒在上面，释放出白日里的最后一丝善意与温柔，夜晚就要来了，乌云和龙就要来了。我想的是，沿着河溯流而上直至尽头，在帕米尔高原被冰山回望凝视过的，会是什么样的人；一步一步迈入河中，让刺骨的水依次没过脚踝、大腿、双臂、脖颈乃至发梢的，会是什么样的人；被溢出的洪水卷到半空之中，枕着浮冰、滚木，或者干脆骑在铁板上，从此告别一切过往的，会是什么样的人。

我想了很长时间，仍旧没有答案。天空呼啸，夜晚降落并碎裂在水里，周围空空荡荡。我知道有人在明亮的远处等我，怀着灾难或者恩慈，但我回答不出，便意味着无法离开。而在黑暗里，河水正一点一点漫上来。

工人村

古董

傍晚光线之下，一切都在缓慢地发生着位移：光、房子、砖墙、树、行人、倾倒在街边的脏土、螃蟹壳与即将落幕的云。收音机在响，电磁波信号在空气里震荡，解调出来的声音巨大而沙哑，嗞嗞啦啦，仿佛要将扬声器撕裂出一道口子。电台主持人的声调夸张，跌宕起伏，不竖着耳朵仔细听的话，便很难分辨出他到底是在播新闻还是说评书，彭伟国和陈家洛可以在这里相遇。

老孙的军绿色上衣搭在右肩膀上，左臂的戏曲脸谱文身和一排精瘦的肋骨暴露在外，刚剃的秃头上正生出一茬青色，稀疏的几绺山羊胡随风摆动。此时此刻，他腰板挺直坐在门口的破沙发上，目光严峻，呼吸均匀而顺畅，正在专注地对收音机进行着微调，如临大敌一般，其右手极稳，施加精妙的力道扭动旋钮，反复进退，以取得更好的收音效果。直至发出的声音逐渐趋于稳定，吐字清晰，他才满意地将收音机轻放在腿旁，重新直视前方，整个人也松弛下来。

收音机拉出来的天线刚好搭在他的胳膊上，不经意间看去，他们仿佛一对在夕阳里依偎着的瘦削恋人，无须奋力，彼此便已融为一体。这是众多傍晚中的一个，并不比昨天或者明天的更为独特，但却也同样晦暗、易逝，难以捕捉。

一条窄路横在老孙面前，路上很少有机动车经过，对面是一片工地，尘土萦绕，叮当作响，不分日夜。工地的外围竖着几块鲜艳的广告围挡，上面喷涂着一个时髦女性的背影，摆出一副性感奔放的造型，其腰臀轮廓完美，波浪卷发十分飘逸，末梢有着勾人的弧线。旁边写着几个绚丽的美术字：在我的地盘，你就得听我的。

老孙盯着这个妩媚的身影，心里想着：凭啥听你的呢？可要点脸吧，还听你的，你盖的是派出所啊？

收音机还在响，一个男性的嗓音夸张地播报，谁和谁一比一打成平局，九十分钟鏖战，两支名字拗口的外国球队，其中一支全场紧逼，但也未能取胜，老孙叹了口气，心里想，这都是命啊，也不知道罗伯特·巴乔现在还踢不踢了，那可真是一个黄金时代。

一段新闻播放完毕，间歇期间，主持人播放串场音乐，振奋人心的外国歌曲，慷慨激昂，有海鸥在歌曲里飞。老孙想起来，几周之前，曾经有听众特意打去电话，问主持人这首歌叫什么名字，主持人说了句英文，Go West，啥意思来着，对，去西方，一起上西天，展翅高飞，跟鱼和海鸥们一起，吃海草和虾，呼朋唤友，在咸而潮湿的空气里，夜航西飞，去往海的尽头，生活的尽头。

老孙眯着眼，跟着节奏轻轻摇摆身体，身下的弹簧沙发有规律地涌出一团团的灰尘，像水中金鱼吐出的泡泡，迎着最后的几缕阳光，膨胀，飞舞，破灭，消散。

天色渐晚，凉风穿过低矮的楼群，卷起烟与尘土。一位中年妇女骑着自行车经过，她的胖儿子坐在后座上，气鼓鼓地喊道：妈！今天真不是我先动的手！老孙愣了会儿神，拎起收音机的天线，转身回到自己的店里。他将衣服扔在椅子的靠背上，之后拽了一下被汗水和油烟浸渍得泛黑发硬的灯绳，将整间屋子点亮，镇流器发出嗡嗡的声响，像成群秋虫的鸣叫，自在而嘈杂，挥之不去。

屋内有着一股时光流逝的气息，白炽灯照亮满满一屋子的破烂儿，或者按照老孙的说法，古董。佛头，铜币，瓷片，不倒翁，字画，酒盅，线装书，烟酒标……各自在角落里散居，默默注视着老孙，以及他身后阴影中的广告女郎。

在工人村里开古董店，老孙得算是头一位。

工人村位于城市的最西方，铁路和一道布满油污的水渠将其与外界隔开。顾名思义，工人聚居之地，村落一般的建筑群，上个世纪五十年代开始兴建，只几年间，马车道变成人行横道，菜窖变成苏式三层小楼，倒骑驴变成了有轨电车，一派欣欣向荣之景。俄罗斯外宾来此参观学习，家家户户竞相展示精神面貌，盛情款待蓝绿眼睛的老毛子，竭力推广自家卓越的生活方式，几位来考察的外宾们日日恍然大悟，受益良多，回国后每年冬季开始渍酸菜包饺子唱小拜年。

万物皆轮回，凡是繁荣过的，也必将落入破败。进入八十年代后，新式住宅鳞次栉比，工人村逐渐成为落后的典型，独门独户的住宅被认为更接近时代。一门几户的工人村旧居，刚入住时相敬如宾，时间长了，矛盾显现，油盐水电等不起眼的小事，相互之间也能打得不可开交。更有甚者，父母辈明争暗斗时，儿女辈却暗结珠胎，仇恨的种子进一步散播，一笔算不清的糊涂账。

九十年代里，生活成绩优异者逐渐离此而去，住上新楼，而这些苟延残喘的廉价社会住宅，居然也变成了古董，待价而沽。所有人都在等待拆迁，拿些补偿款或者换个新居，从而改善一下生活条件。街对面楼龄更轻的，已经拆完并开始重建，但至今还没拆到这里。原因是住在工人村的，老弱病残居多，这些落后于时代半个世纪的人们是天然的钉子户。比起那些离开的，仍住在这里的人们，想得到的要更多一些，毕竟他们所拥有的只剩下这幢老房子，这是最后的底牌，不打得惊天动地一点，是没办法翻身的。

也有开发商们对此处打起主意，在市场调研阶段，他们请来几个黑社会，去讨价还价。一队凶悍的壮年男子，平头，黑背心，胳膊上文着龙、豹、罗汉、大佛，一个比一个凶恶，部分上面也文前女友的名字，像用钢笔写上去的，“彤彤”、“红颜小菲”和“钟爱一生——彩铃”。

黑社会队伍整齐，据说也在执行军事化管理。他们来到工人村，攥紧拳头，咣咣咣地敲着落漆的门，敲第一户没给开，门上凿出一个浅坑，表示这个世界我来过；再敲第二户，租房子的是南方人，语言不通，没唠明白；敲到第三户，开门了，一帮人叼着烟进屋，毫不客气，床上坐着老两口，为首的大哥拍拍炕上的被褥，掀起一层灰尘，然后一屁股坐在床上，腿半盘着，朝着老两口扬起眉毛，吐着烟圈说，什么情况，你知道了吧，咱们谁也不要麻烦谁。老两口互相看了一眼，又眯缝着眼，盯着眼前这个男的，谁也没说话，大哥被看得心里发毛，也眯缝着眼看老两口，六只半睁着的眼睛悬在半空中，屋内气氛紧张。

末了，老太太说了句话，孩子啊，你是大鹏不？郝家的老小儿。大哥说，哎我去，我这才看出来，不敢认啊，是薄板厂我秦姨吧？老太太连忙说，是我，还记着我呢，是我，咋长这么结实了，多少年了都，你妈身体咋样，腰脱还犯不啊？你咋样啊，结婚没？大哥的内心当场崩溃，受不了了，压低着嗓子说，我妈没了，去年过完年没的。我还没结婚呢，家里条件不行，工作也不行啊，正经过日子的谁跟咱啊。秦姨，多少年没见了都，看见你我觉得真亲啊。

黑社会都是这座楼的儿子。

大哥没能交差，跟对方说，这活儿没法干，都是上一辈的老熟人儿，从前低头不见抬头见，我妈活着时候我也没给她挣过脸，现在没了，再咋的我也不能给她再继续丢人了。对方是大公司，策略型地产企业，通情达理，对此表示理解，并说道，买卖不成仁义在，哪边凉快你就上哪边去吧。大哥事儿没办成，钱没挣上，憋屈了几天，回头发表一条感言，“走得再远，也不要忘了为什么出发”，后面跟着四个感叹号，引人深思。

工人村旧楼里，临街的一层大多租给做买卖的作门市。一排十来户，有一家烧烤店，便宜、量大、油腻，炭火兴旺，面积不小，占去三四户的位置；旁边是一家司机盒饭，半夜也营业，十元吃饱，十五元的话能多吃两个荤菜；还一家剃头的，老板风华正茂时，爱穿高领毛衣，趁着媳妇不在店里，在理发椅子上按倒过几个女徒弟，现在老了，半边脸瘫痪，木着没有表情，脑子也钝，经常拿着推子停顿在半空中，不知该推向何方；还有一家治鼻炎的，后起之秀，全国连锁，只是从来没见里面有过顾客。靠路边的两家，一家拐弯进去才能看见，白底红字的牌子，上面写着四个字，菁菁足疗，下午开始营业，晚上挂起温馨的粉灯，店里大概常年执行北水南调，凡是陌生客人进来，问，能做足疗吗，抹着浓妆的女技师回答说，不好意思啊哥，停水了，只能做按摩。客人提起来精神，谄着问，什么按摩？怎么按的呀？技师眨眨眼睛，微微凑上前去，嘴唇呼出热气，说道，局部保养呗。客人继续假装不懂地问，局部啊，具体是哪儿呢？技师笑着说，你过来点儿，往我这边来点儿，换鞋进来，然后我再告诉你。

老孙的古董店紧挨着菁菁足疗，他租下两户，相互打通，摆几个博古架，挂上几幅高山流水的仿画，在这样一个最不需要古董的地方开起了古董店。他的店占着楼角，西北两向，都请人写了书法字，然后做成招牌，龙飞凤舞的连笔字，没人能读懂，路过的行人经常互相探讨，那字念啥，什么什么斋，干啥的呢，另一个说，起名字的吧，装神弄鬼呗，前一个说，不对吧，我看他家像给人办白事儿的，逢年过节卖点烧纸啥的。

也有吃饱了遛弯的老哥摇着扇子走进去，看见精瘦且有些仙风道骨的老孙，胡乱盘道，问，大师好，我儿媳妇要生了，你看你能不能给我孙子起个名儿，要敞亮点儿的，格局大一些的，我姓牛。老孙也不拒绝，想了半天，皱着眉头说，出来了，格局大，那就叫牛振华吧。老哥说，你跟我俩闹呢，那不是演小品的么。老孙顿了顿，说，也说过相声。

下午的闲暇时光，足疗店的小妹也会跑来老孙的古董店聊天，小妹手里夹着烟，把店里的东西逐个摆弄一遍，然后问，孙哥，你这里的东西，哪个最值钱呢？老孙想了想，然后说，可能是我本人最值钱，毕竟在这所有东西里面，我岁数最大。

古董店并不是每天都开门营业，经常有十天半个月处于关门状态，门上挂一把锈迹斑斑的大锁，窗户上贴个字条：店主出门，青山不改，绿水长流，有事打电话。等到他再开门营业时，旁边的邻居问老孙，这段时间干啥去了。老孙说，看看大千世界，去乡下收货来着。旁边人问，收到啥好东西没？老孙敷衍着说，没啥，没啥。熟悉他的人会继续调侃道，七块钱的纸币收到没？老孙说，那没有，就有弄到俩十五的，你要不要收一张，我看还能升值。

收货回来的几天，老孙的情绪往往比较消沉，这时候跟他喝酒聊天的话，便会听见他不断地抱怨，如今啊，老乡们一点儿也不淳朴，没有诚信，时代变了。问他到底是什么情况。他便开始给你讲，现在的老乡都是演员出身，乡村奥斯卡，人人迪卡普里奥，从你进村的那一刻开始，他们就盯住你了，村里干部先找你喝酒吃蘸酱菜，好一番诉衷肠，咱们村历史悠久，但现在情况不好，原因是啥，人民不像以前那么爱吃苞米了，社会变了，不能理解，苞米都不吃你还想吃啥呢，然后他会故意把你带到某人的家里，说咱们村里，属他家的条件最差，日子要过不下去了，但有个传家宝，你来帮忙看看，随便给几个钱买回去，也算为咱们村做贡献，扶个贫，当一把老百姓的大救星。借着酒劲，我答应他们过去看看。第二天，进了老乡家里，确实穷，家里空空落落，21 寸大头电视机，破塑料凳子，掉碴儿的脸盆，墙上还贴着郭富城呢，一个傻愣的老爷们自己在家里，个子不矮，红脸膛，趿拉着片儿鞋，也梳着郭富城的头型。我跟他说，老乡啊，你好，我是上边派过来的救星，能看看你的传家宝呗。他也不说话，低着头在斜栽的五斗柜里翻腾半天，然后捧出来一个陶罐子，落了一层灰，边缘都破成锯齿儿了，然后跟我说，就这个，祖传的，比我爷岁数都大，你能给多少钱。我拿过来一看，这不就是腌咸菜放酱油的陶土罐子么。当场我把东西放下，说，这个我要不了，你还是给你爷留着吧，说完刚准备要走，被村干部拦在门口了，一只大手抵在门框上，露出红通通的手臂，汗毛绷在上面，一根一根地竖着，他跟我说，同志，我看你还是留下吧，上次有大学生来给咱断过，说咱这个是明朝的，晚明时期出品，官窑烧的，电视剧里都出现过，错不了，谁买谁发财，价值连城。我说，别扯犊子了，还官窑呢，这搁在土炕底下就能烧，一晚上八个。村干部说，同志，你是搞古董的文化人，不能这么说话，很低俗，对不起你留的小胡子，我看这个你很有必要留下，拿回去研究一下，可能有新的发现，你看看给多少钱合适。我说，没钱，也不要这个罐子，你胳膊能放下吗？我能走出这个村吗？村干部笑了笑说，不好走，不好走的，不能白来一趟啊，留个纪念也好。我上去拽他的胳膊，他另一只手钳住我的肩膀，猛然一发力，我的妈啊，骨头都要被他捏碎了，乡亲们身强体壮，前有豺狼后有虎，没辙了。最后我给了五百块钱，抱了个破罐子回来，气得我直发抖，刚回到车上我就想把罐子摔了，后来我一想，不能摔啊，回来哪怕我当尿壶呢，于是放在后备箱里，开车走了，村干部他们几个还冲我摆手呢，我刚一出村，他们就在后面放了挂鞭。气得我说不出话来，太狡猾了，良心没了，现实，社会路难走啊。你看，就这个罐子，我回来还真研究一下，嘿，你别说，还真是有来头的，底下带着款儿呢，看见上面写啥没：东沟村第一副食。

前几年，手串珠子一类开始走俏，工人村的中青年男子尤其热衷，几乎人手至少两串，密密匝匝地捆在手腕和小臂上，远远望去，像变种人的一截义肢。朋友见面不干别的，先摆好身位，观察对方的鼻翼两侧是否出油，若有闪闪发光的迹象，二话不说，直接扔一串大金刚上去，迅速在对方脸上碾压几个来回，口中念念有词：谢谢哥们了，脸借我用一下，我玩儿脏盘的，就图个上浆快，你脸上的油不错，别浪费。后来有一阵子出门戴口罩的人特别多。

文玩之风鼎盛期间，总有人来店里问，有小叶紫檀吗？老孙防患于未然，戴着口罩，口齿不清地说，不做那个，不做那个。那人又问，那你不如做一下吧，我给你供货，我这还有精品大金刚，鬼脸爆肉，皮质金黄，纹路连贯细腻。老孙说，你这形容词像卖雪花膏的，我卖的是古董，真正的古董，少拿那些破木头疙瘩糊弄我，我瞧不上。从此旁人另眼相看。

后来，盗墓题材又开始成为热门，有人学了几个专有名词，黑驴蹄子、洛阳铲、桃木钉，跑去问老孙，玩这么多年古董，见识过这些没？没想着去墓里走一遭？据说都是死人身上有的是横货。老孙嗤之以鼻，反问道，你觉得这些东西现实吗？那都是虚构的，文艺作品，骗老百姓的。做人吧，还得唯物主义一点儿，封建迷信那套不行。有人觉得话里有话，继续盘问，封建迷信那套不行，你那套行呗。

老孙在反复催问下，小心翼翼地说，行不行，我说了不算，但咱确实见识过行的，俗话说，一方水土养一方坟，南方讲究分金定穴，北方全靠相土尝水、象天法地，主要得有高手，从咱们这儿出发，上四环，夜走高速路，脚踩油门使劲儿搂，到辽西内蒙古一带，贴着小道下，村里走土路，挑老实的村民带着上山，睡几宿帐篷，为的是啥，夜观天象呗，在大山和星星里选位置，各种高科技仪器，啪啪全是红外线，嘿呦嘿嘿嘿呦嘿，哪怕山高水也深，看星星也得看山势，高手选好后，大手一指，就这儿了，旁人直接上雷管炸，像放二踢脚似的，开山，硬往里怼，没别的办法，轰轰烈烈把握青春年华。高手嘛，其实也没有传说那么神，但一般情况下，炸个十几处，总能有一个两个是准的，土塌下去，坑就露出来了，灰尘散开后，人进去刨，镐把子掀棺材缝儿，一掘开能出来一口黑气儿，像是人的魂儿散了，我们也不怕，反正我们也是鬼，红了眼睛的穷鬼，谁能把谁怎么的吧，再有，教你一个壮胆的小诀窍啊，刨棺材的时候，用手机大声放歌，山里的音响效果那是绝了，流行歌曲就行，远方的人请问你来自哪里，你可曾听说过阿瓦尔古丽，有一次我边刨边听这首歌，镐把子跟眼泪一起往下坠，噼里啪啦的，旁边人都吓傻了，不敢说话，以为我让啥东西上身了呢，其实我是被这首歌感动了，唱到我心里了，天山下的男女，那个时代，真是深情，只要是认准你这个人儿了，那就是个等啊，四处跟人打听你，钱不赚了，班儿不上了，日子也不过了，骑上骆驼去祖国各地找啊，太深情了，边疆人都特别仁义。扯远了，说回来啊，咱也开过几回跋扈的，撬开后滚几道黑烟，真邪乎，里面白骨一片，散了架子了都，一堆堆的，像动画片里狗咬的骨头棒子，挑挑拣拣，里面就有玉器，玉猪啊玉虫子啊小蜜蜂啊机器人什么的，那些东西可以，值钱，但也难出手，非常难，国宝啊那都是，没有国外套路，一般不敢弄这个，得偷渡，不，好像叫走私。嗨，咱哪说哪了，我就这么一说，你也就这么一听。这些东西啊，放咱手里头也没啥用，就是个摆设。说到这里，老孙长叹一声，戛然而止，给人留下无限遐想空间。

几年下来，老孙的名声竟然也逐渐传开，没人能弄清楚他真正的底细和路数，也没人知道他手里到底有没有真东西，不过关于他的传说倒是越来越邪乎。他昼伏夜出，神秘而狡猾，开店时间也不固定，很多外地过来的专程去拜访他，随便买上几件，然后跟他聊上一会儿，想从他嘴中探点风儿出来，老孙装傻充愣，怪话连篇，来者很难参透，皱紧眉头匆匆离去。一位有点背景的长辈听说此事，特意坐车专程来老孙的店里，车停在远处，步行着走过来，老人一袭布衣，利落干净，气质非凡，像一块历史悠久、品相上乘的蜜蜡，通体精神，世故而圆润。老孙有点懵，不知道怎么接待是好，长辈在店里转了一圈，随便挑了几件字画、石器，说，你说个价吧，这几样我要了。老孙斗着胆子报了个数目，长辈微笑着答应，之后飘然离去。过了个把月，长辈又来店里，照例随便拿几样，微笑着又说，这几样多少钱，你不要客气。老孙抱着再讹一笔的态度，比上次要价更狠。长辈稍稍犹豫，但仍算痛快地答应下来，背包里掏出一小沓人民币，没数，直接递过去。老孙手握人民币，望着老者远去的背影，叹几口气，面部表情极为复杂。

第三次，长辈再次乘车再来，老孙热情出迎，店里转了几圈，长辈说，等下可否有时间，我想请你吃个便饭，老孙说，你照顾我生意这么久，这顿饭我来弄，咱们也别出去吃了，干脆在店里吃火锅喝白酒，我再买一点熟食，这次可着您来，想聊啥都行。长辈想了想，答应下来，老孙特意烤了炭，在屋间支上紫铜火锅，码齐豆腐、白菜、蛎蝗、羊肉，两人对酌。各自小一斤白酒下肚，老孙聊得天花乱坠，长辈扶他肩膀，说，第一次我来，见面礼算是给你了。老孙不胜酒力，脸红着，口齿不清地说，这个我懂。长辈又说，第二次我来，敲门砖也算是给你了。老孙有点害羞，说，这个，这个我也明白。长辈放下手来，拿过自己随身的背包，哗啦一下，把前两次买的东西全部倾倒在地上，瞪圆了眼睛，饱含期待地说：这些都还给你，我不要。

那么，你现在该给我看看你的真东西了吧。

老孙打着酒嗝，话说得断断续续：其实你……你的意思，我都明白，你想要啥……我，我太知道了。说完后，他晃悠着走到厕所旁边，单掌推开门，站在门口，将迷彩短裤连带着里面的四角内裤往下用力一褪，露出半个紧绷而丑陋的屁股，叉着腰闭眼睛撒了泡尿，之后并没有转身回来，而一个跨步迈入厕所深处，在水池子上下的柜子里大肆翻找。老者仍在桌旁，一言不发，小口啜饮散白酒，他的指尖夹起两粒花生米，不慌不忙，半眯着眼睛，仿佛吃得津津有味，不难看出，他也是在极力克制着自己的激动情绪。几分钟后，老孙风尘仆仆地回到桌旁，带着一股沉厚悠久的尿骚味，他佝偻着腰，眼睛发亮，怀里抱着一个破损严重的陶土罐子，低声说道，老师，不，大哥，亲哥，你来看看这个，戴上镜子看，不得了了，这是晚明期间——当地副食品商店出土的。非常颠覆，能震惊考古学界，有市无价的宝，按照我的想法，最好直输海外，你问问大英博物馆有没有兴趣。来，你摸摸这质地，水头多足，别客气，来摸摸，莹润温雅，你再看看这纹理，蚯蚓走泥，活灵活现，太野性了。这东西常年吸收着日月天地、烟酒糖茶的精华，时间的味道，历史的味道，感受到没有，闻到没有，哥哥，怎么样，都是实在人儿，怎么样，你看这个你能出多少吧。

鸳鸯

菁菁足疗成立于二零零一年，由下岗职工吕秀芬和其丈夫刘建国联合创立。吕秀芬事业心较强，在经营过程中，充分发挥主观能动性，身兼数职，肩扛脚挑，迎来送往，既是前台、厨师、保洁员，也是心理咨询师、会计和总经理。刘建国的角色相对单一，负责足疗店的安保工作，撑撑场面。工人村旧楼底层的一户三室，他们一并租下，又在黢黑潮湿的走廊里进行一番改造，将油绿的塑料叶子和几朵粉黄相间的假花缠绕在水管和煤气管道上，两盏暧昧的红灯在头顶处发光，一左一右，极尽原始、昏沉、暧昧，行走其间，仿佛身处夏夜浅显而温湿的梦境，或者丛林里一个雾气重重的夜晚。

刘建国偶尔在院子里乘凉，跟离退休职工沟通国家政策与民间精神信仰问题，更多的时候，他会在阳台上支开一张行军床，于大葱、食用桶油、铁勺和木楔子间摆放折叠桌，光着膀子坐在床上，用台式机在玩网络斗地主，网名浪子心声，牌品好，出牌快，不骂对手，也从不用记牌器，当然自己也记不住牌，所以输多赢少。超频成功的赛扬处理器虎虎生风，带领他在互联网的世界里自由翱翔，17 寸的飞利浦显示器顶着一架低音炮，气势汹汹，立体声环绕，两张王牌一起出来时，轰炸音效极其逼真，震撼心灵。有一次，三方连续数个炸弹，此消彼长，不亦乐乎，屋内的女技师借势跟客人说，哥，哥，你快点的呗，听见外面这雷声没，要下大雨了啊。

吕秀芬有一姐吕秀丽，大她三岁，年轻时是厂花，单位里的红旗手，颇受瞩目。吕秀丽待人热心，但脾气较倔，个性强，曾不顾家人反对，抛弃追求她的高级车工、木工和车间调度，毅然嫁给口齿不清的片儿警赵大明。赵大明非本地人，少年当兵，退伍转业后进派出所，他的模样并不起眼，眼距宽，发际线靠后，讲起话也有些大舌头，但却很爱表达，说得头头是道。此外，在日常的工作和学习生活里，赵大明还热衷于引用影视剧里人物的台词，最喜欢的角色是《旺角卡门》里的托尼，其经典台词被他改编成“我赵大明，是最讲道理的，你怎么对我，我就怎么对你”。一口标准的东北粤语，说完自己哈哈大笑，然后追问旁人，你看我要是抹个油头，像不像万梓良啊。

赵大明的职业技能虽一般，但与上级关系处理得极好，对于家庭纠纷等琐碎案件，也有着一套独特的劝诫理论。婆婆跟儿媳妇打起来了，赵大明叼着牙签，大摇大摆着过去调解，第一句跟儿媳妇说，你也不行啊，年轻力壮的，还打不过岁数大的啊？白活啊你。别人家的两口子打架动了刀子，赵大明把小媳妇拉过一旁，自己骑在侉子车上，叼着烟说道，你瞅你老公那样儿，还动手呢，过啥劲儿呢你跟他，我要是你我早离了，我看你这体型儿也挺标准的，找啥样的没有啊，他再欺负你的话，你来找我，昂，听见没？跟我别客气，都不是外人。说完轰上几脚油门，绝尘而去，将小媳妇留在身后的滚滚黑烟里，眼泪被尾气风干，只留几道灰黑的痕迹。

一九九九年，吕秀芬和刘建国先后从各自的单位下岗，家庭没有经济来源。论成败，人生豪迈，大不了，从头再来，刘建国受偶像刘欢的歌声鼓舞，响应国家号召，开始自主创业，扎了个铁皮车，扛来煤气罐，在里面包起饺子，扁木勺抿着芹菜猪肉馅，一起一落，一捏一合，干净利索，四块钱一份，二十个，皮薄馅大，忙活了两个月，被工商税务连端两次，算下来利润微乎其微，遂作罢。饺子生意告一段落之后，刘建国又遭人蛊惑，加入直销团队，每日穿西装打领带，斗志昂扬，逢人便讲“天助吃自助者”，后来被人纠正，口号里多了一个字。他四处推销能吃的鞋油、多功能保健牙刷和纠错能力超群的 VCD 机，三个月过去，商品一件也没销售出去。刘建国内心愁苦，每日在家刷牙六次，物尽其用；吕秀芬气得哭了好几场，终日发着牢骚，埋怨声不绝于耳。某天刷牙时，刘建国幡然醒悟，吐着带血的牙膏沫说，现在的人都太渴了，下岗职工的饭伙钱也骗啊。

路路皆行不通，唯有求助亲朋。吕秀芬和刘建国拎一双瓷瓶白酒，反复犹豫，最终敲开姐姐吕秀丽家的门。客套话后，间接说明来意，两人下岗后，事事不顺，如今走投无路，一来没手艺，二来没体力，三来没资本，姐姐和姐夫如果有好办法，请指条明路，能赚个生活费就知足，有手有脚，日子总要过下去的。姐姐吕秀丽的厂子此时也处于减员狂潮，自身尚难保，只得皱着眉跟两口子一起犯难，唉声叹气。两杯白酒下肚，赵大明在半空中挥舞着一块酱脊骨，双眼放光，把刘建国拉到一边说，你俩做点儿买卖呗，我给你投资。刘建国心里想，就你那抠样儿，还能给我投资？但嘴上没表达，小心翼翼地问，姐夫，你也知道以前我就是厂子上班的，也没做过买卖啊，你要给我投资干啥呢，能行么咱，别再赔掉。赵大明俯下身子背过耳朵，大着舌头，鼻音浓重地对刘建国说，足疗儿，你整个足疗儿。刘建国没听清楚，张着大嘴，满脸困惑，反问了一句，啥？作妖儿？我作啥妖儿？旁边的吕秀芬听这边聊的内容声音渐低，认为也许有戏，着急地问，你们俩说啥呢在那，嘀嘀咕咕的。刘建国回应说，倒也没说啥，姐夫说我整天作妖儿。吕秀芬说，姐夫说得真对，他下岗后，天天在家作妖儿，不愧是警察，有洞察力。刘建国更加困惑，不解地说，那他老洞察我干啥玩意儿？我也不是犯罪分子。赵大明怒道，你们俩，都什么耳朵啊。

赵大明的儿子赵晓东正对着电脑打游戏，这会儿在一旁也乐开了花，说，爸，还说别人的耳朵呢，你也不看看你那什么嘴啊。我爸刚才说的是足疗，足疗店，足底保健。现在大街上多得很呢。千里之行，始于足下。浴足拔火，释放真我。

赵大明说，听懂没，我儿子都比你们明白。你照我的话办，咱们也搞个家族企业，全球连锁，荣耀百年，去纳斯达克敲钟上市。

有了明确指示，吕秀芬和刘建国着手准备，四处凑钱，租房装修，贴壁纸改造隔间，摆下数张铁架子床，准备挂牌营业。这时，吕秀芬和刘建国两口子醒悟过来，赵大明所谓的投资，只是动用其工作之便利条件，不出一分钱，但是能保证安全经营，某些特种业务也是被默许的。按照赵大明的话，所谓足疗店，醉翁之意不在酒，有几个是真正去捏脚的呢，去消费的人往往心照不宣，想搞活经济啊，思想首先得开放，畏首畏脚可不行，放下包袱，开动机器吧。吕秀芬和刘建国面面相觑，半晌后，赵大明又劝一句，台子都搭起来，咱这场戏还能不唱了？ 你们看着办。

派出所那边有赵大明通风报信，各项检查来临之前，菁菁足疗门口红纸一贴，外出旅游，闭店几日。之后照常营业，生意不温不火，但能维持温饱。刘建国时常心惊胆战，半夜醒来满背汗水，对吕秀芬说，咱们干这个是不是违法的啊。吕秀芬骂道，有姐夫呢，再说了，饭都要吃不上了，又借了那么多钱，不干这个，咱俩去喝西北风啊。刘建国长叹一声，说道，我算明白逼上梁山的感觉了，我就是当代林冲啊。吕秀芬说，你可别给自己贴金了，林冲好歹以前在单位还是领导呢，国企干部，你呢。

铁打的足疗店，流水的按摩技师。菁菁足疗的门口常年贴着招聘广告，要求 18—35 岁，相貌端正，思想开放，有无经验均可。足疗店实力有限，只能养得起三四个技师，其他足疗店每接一单跟技师半对半分成，吕秀芬不忍，认为自己的店面也不够敞亮，客源有限，女技师也都不容易，命途多舛，每次她只分四成，且供两顿饭，营养套餐，荤素搭配。

十年弹指一挥间，这期间，菁菁足疗来了又走的按摩女何止数十位，最长的待了四年多，跟吕秀芬情同姐妹，后来返乡嫁人，吕秀芬还特意送去大红包；最短的不过半天，只第一单，便跟客人互殴对打，扯着对方的头发嚎道：让我管你叫爸？你咋不管我叫妈呢。吕秀芬上前拉架，说，行了，你们都是我祖宗，快松手吧。此时的刘建国，正在阳台上全神贯注地斗地主，这一轮他抢到地主，正在以一敌二，情势危急，需要调动全部智商来应对，对于外屋发生的一切暂顾不上回应。

事后，吕秀芬大骂刘建国，你真是个废物，什么都指望不上，等我死了我看你自己怎么活。刘建国说，这些鸡飞狗跳的事儿，你以后也少管，直接打电话找赵大明呗，怎么，他每个月的钱白拿啊？这时候你不喊他来体现一下价值，都是对他生命的一种辜负。

赵大明保持着每个月来一次的习惯，风雨无阻。往往是天黑之后，他穿着便衣从后面的楼道里敲门进入，先是慢敲三下，然后逐渐提速，三下一组，直至开门，像摩斯密码。他每次来也都不空手，均有礼品相送，种类千奇百怪，有时是香肠、酸奶、橘子，还有时是一大包手纸或者几个衣服钩子，他来店里坐会儿，抽两根烟，跟刘建国寒暄几句，聊聊家常，也不吃饭，最后伸个懒腰，打个哈欠说时候不早得回家了，临走着揣上吕秀芬准备好的信封。信封里的钱，时多时少，春节过后的那阵子生意最差，刚入秋的时候各类检查最多，所以在这两个月份里，吕秀芬给赵大明的信封最薄。吕秀芬在这时会补上一句，姐夫，这个月的情况你了解，别嫌少。赵大明点点头，大义凛然地说，咱是实在亲戚，多点儿少点儿都无所谓，你们生活得好，就是我最大的愿望。

足疗店是边缘产业，小麻烦不断。前几年有一次，半夜时分，两个酒鬼闯入店里，满身醉气，衣着寒酸，也不说话，换鞋后便趴在店里的鱼缸上，脸紧紧地贴着玻璃，观察里面悬浮着的地图鱼。粉红的光线，碧蓝的鱼缸，他们的脸庞随着鱼一并上下游动，目光如炬，紧紧相随，两张脸在倒影里此起彼伏。其中一个说，大伟啊，大伟，我们是不是在潜水呢。另一个长得五大三粗，黑着脸膛呵斥道，住嘴！憋住气！小心呛着！

技师吓得都跑回屋子。刘建国从后面出来，询问道，哥俩，你们都做啥项目啊，我给你们安排，保证好好服务。俩人没有反应，刘建国上去轻推几下，他俩一屁股坐在地上，说，妈呀，憋死了，可算上岸了，你刚才问我啥来着，我们吃过饭了，海里的鱼不错，你再给炖两条就行，主要是上酒，酒不能差，不要废话，我们是在大狱里蹲过的，什么都不怕。吕秀芬说,不好意思啊,我们这儿也不是饭店，是做足疗的，保健养生，旁边拐过去有串店。刘建国笑着想扶起他们离开，不敢得罪。不曾想，俩人死活不肯走，嘴里呜里哇啦地威胁道，今天就非要吃你们这海滨小店的活鱼海鲜，必须现场打捞的，要是吃不上就砸店，你们看着办。

吕秀芬慌了，连忙给赵大明拨去手机，赵大明夜未归宿，此时正在外面打麻将，噼里啪啦的洗牌声清晰可闻，吕秀芬跟赵大明说清状况，然后问能不能派过来两个值班的警察，给他们撵走。赵大明不耐烦地说，这点小事还得麻烦人民警察吗？你们就不能开动一下脑筋？这样，听我的，你让刘建国去旁边串店烤两条偏口鱼，那东西跟地图鱼长得比较像，说是刚捞上来的，他们吃完不就走了么，皆大欢喜啊，要懂得变通，不说了先，烤鱼钱算我的，直接在信封里扣就行。说完便把电话挂了。刘建国在一旁问，姐夫怎么说的啊？能调过来人不？吕秀芬不耐烦地说，调，调，调了，好几条偏口鱼正往这边赶呢。

除此之外，菁菁足疗还不止一次地碰见过假记者和冒充的执法人员。服务过后，走出隔间，坐在沙发上晃着脑袋说，我是记者，你们这里经营色情服务啊，我得给你们曝曝光啊。吕秀芬对此早已习以为常，满不在乎地说，曝去呗，不曝你都是王八犊子。小敏啊，那个啥先别扔，保存好。嫖娼不给钱，就得算强奸。你看着办，我现在就打电话报警。一般要是定罪，三年以上十年以下有期徒刑。你这号人我见多了。你也不是第一个。

又过几年，赵大明已不在街道派出所工作，调去分局，算是升职，但势力范围还在，所以菁菁足疗店仍屹立不倒，一来二去，竟成为这条街上名副其实的老店，安全可靠，值得人托付自己的子孙后代。临调走之前，赵大明特意来趟店里，跟吕秀芬和刘建国说，我要调走了。刘建国说，听说了，上去了，分局，人往高处走了。赵大明说，走哪去啊，明升暗降，这你们不懂。吕秀芬说，咋还能降呢？赵大明说，唉，这都是家里人儿，我才跟你说，我去了就没实权了啊，捞不着，差多了比以前。刘建国说，哦，那不去行不行？赵大明说，我要是不去，现在这点权力都没了，咱这个店儿就真开不成了。吕秀芬说，那姐夫你受苦了，净替我们操心了。赵大明说，我倒没关系，这么大岁数了，啥没经历过，但我儿子晓东啊，现在挺苦，这孩子懂事啊，过得不易。

吕秀芬听到这话，心尖儿微微一颤，但又觉出没有退路，只好硬着头皮往上顶，顺着他的话问道，晓东怎么了？没听我姐说呀也。赵大明由此便打开了话匣子，说道，这不，晓东在美国第二年了，天天学到后半夜，去年不还拿奖学金了么，业余时间自己还打工呢，在密西西比的农场干活，放牛，美国王二小。刘建国跟着恭维说，你家那孩子，绝对错不了。赵大明忽然叹一口气，说道，唉，可惜我这当爹的没能耐啊，要是能给他多攒点儿钱，他也不至于打工受那份气了，安心学习多好，那些老外精着呢，干多少活就给你多少钱，不仁道，没人情味儿，不像咱们之间。吕秀芬低着头说，是是是。赵大明接着说，我这个人啊，从来不娇惯孩子，从小到大，我们家晓东，吃的穿的，一直以来都很平庸，普普通通，前几天视频通话时候，晓东头一次跟我说，打工赚到钱了，想给我换个苹果手机，让我也用一回好东西，随时能跟他视频，照相也清楚，你说我能要么，孩子的东西，咱肯定不能要，当时我就拒绝了，说你别买没用的，自己学好习就行，其他的不要考虑，现在还不是孝顺我的时候；但我跟你说，这孩子有这份心，我就挺知足。吕秀芬低着头说，是是是，晓东就是明白事儿，比我闺女可强太多了。赵大明接着说，挂了视频，我半宿没睡好觉，真的很感慨，有这样的儿子，我这一辈子都值了，真的，我本身也没啥文化，知足，什么苹果鸭梨的，用不用能咋地啊，不用还能死人了？那我不信。

刘建国阴着脸一言不发，吕秀芬咳嗽两下，清了清嗓子，说，大姐夫，你这话我不愿意听了，咱们辛苦一辈子为了啥呢，这些年过去了，养完老的又养小的，还得出去给社会做贡献，跟百姓心连心，容易么，现在孩子也懂事，自己也能赚钱了，咱用个苹果手机咋还过分了？我觉得不过分。赵大明点了颗烟，笑着拍刘建国的大腿说，看你媳妇，想法挺前卫呢。吕秀芬接着说，这事儿我做主了，必须给大姐夫整一个苹果，咱也不图别的，都是手机，就非得看看这个到底好在哪了，这事儿定了，我这把就非得较回真儿。赵大明的脸瞬间拉了下来，厉声说，秀芬，说啥呢，我还用你给我整啊，我没钱买手机咋地，净扯没用的，咱们刚才不唠孩子呢么。孩子的教育问题。那啥，我走了，老规矩啊，生活的烦恼跟你姐说说，工作的事情找姐夫谈谈，过几天我再过来，苹果手机，千万别买，记住，你买我也不能要，再说就算我要了，那东西我也不会用啊，高科技，整不明白，没那精力琢磨。吕秀芬说，好，好，记住了姐夫，这事儿你就别管了。

赵大明从后门离开，关门声清脆，烟雾尚未散尽，但整间屋子瞬时安静下来。刘建国默默地走回到阳台上，打开电脑，晃了几下鼠标，自觉无趣，便又关上。足疗店里暂时没有生意，两个女孩斜躺在沙发上玩着手机，其中一个忽然站起身来，挠着头发对吕秀芬说，芬姐，我今天得早点回去，我朋友从外地来了，我去陪陪她。吕秀芬心里知道，这是她又要去跟客人单独出去了，却也没有心情去反驳揭穿，只一挥手将她放走。吕秀芬内心烦躁，在店里来回走动，跟剩下的一个技师大眼瞪着小眼，无话可讲，没过多大一会儿，她便摇着头说，你也走吧，等会儿我有事要出门，今天提前关店。

夏季的路灯亮得很早，天空里还透着幽暗的蓝色，街旁便出现模糊的星点之光，白色的灯盏挂在水泥或者漆成黑色的圆木之上，昏黄的光晕便从高处淡淡散开，尘埃、飞蛾与蚊虫被其吸引、聚拢、摧毁。偶尔有干热的风吹过来，挟着一点灼热呛人的灰尘，人们低下头，半掩着面，象征性地咳嗽几下，表达着微小的不满情绪，仿佛如此便能维持自身的清洁，将被迫吸入的再次排出体外。

吕秀芬在门口站了几分钟，她不会抽烟，此刻却很想抽一支，风吹过来的时候，她拉下了卷帘门，哗啦啦啦，本该在午夜时出现的声音却提前降临，“足”字霓虹灯还在她身边不断地闪着，映亮她的半边身体。她想起很多事情，拥有的第一辆自行车、乡下时光、病故的父母、倒闭的单位和跟一个瘦削男孩去南方打工的闺女，她小时候多听话呀，大了说走就走，真气人呐，可那里的夜晚会有星星吗。

吕秀芬绕回屋子，从里面反锁大门，铁钮拧到尽头了，她却还在发力，然后又一下子松懈下来，有气无力地趿着拖鞋，径直走向阳台。刘建国靠在暖气片上抽烟，望向窗外，孩子们放学了，举着树枝互相乱抽。他手里的半截烟散发出微弱的星火，在昏暗里闪动跳跃，随时可能隐灭。吕秀芬一头栽倒在小床上，深深呼吸，鼻翼翕动，整个身体剧烈起伏，像一条刚离开水的鱼。刘建国也不看她，自顾自地说，你还闹啥情绪，话都是从你嘴里说出来的。吕秀芬说，我难受，不甘心，憋着一口气啊，虽然现在能做这个买卖得感谢姐夫，但隔几天就来这么一出，这又算什么事儿呢，我可真堵得慌。

刘建国说，堵有啥用啊，还能不给他买咋地，你啊，就是想不开，没听后院信教的老太太念叨么，一个人不能侍奉两个主……你不能既侍奉上帝，又侍奉玛门。吕秀芬说，马门儿谁啊？我伺候他干啥？刘建国回答道，玛门，就是赵大明呗，你看看你现在干的事情，一边伺候着顾客上帝，给上帝们做足疗，一边还得惦记着给赵大明买手机。我跟你说，耶稣最烦你这样的老好人，谁都不得罪，没原则，十诫听说过没，头三条，戒烟戒酒戒憋气，这些知识你以后得学习一下，能用得上。吕秀芬说，滚滚滚，有一句正经的么你。然后一把将枕巾拽过来蒙在脸上，扭过身去，靠在床里，一言不发。枕巾上绣着一对儿花鸳鸯，毛茸茸的，颜色搭配精巧，一前一后，正在黑暗的水里游着，旁边缀着水纹和花草，繁盛的夏日池塘。

过了半晌，刘建国掐了烟，挂上半边帘子，也躺了下来，故意挤了几下吕秀芬，开玩笑似的说，你起开点儿，给我腾点儿地方，瞅给你胖的现在。吕秀芬又往墙边挪了挪自己的身体，依旧气鼓鼓地不作声，刘建国用手指捅了两下吕秀芬，说道，化工车间的吕秀芬，我问问你，你还记得你脑袋上蒙着的这个枕巾不？吕秀芬没好气地回答，我记得个屁。刘建国说，怎么不好好说话呢，这个枕巾是你妈去世后，咱去收拾东西拿回来的。当年你妈亲手绣的吧，我记得你说过，早先想给你当嫁妆一并带过来，结果结婚当天不知怎么就给忘了，一忘就是好多年。这么多年了，最终还是落回到你手里了。

吕秀芬把枕巾从脸上拉下来一点，露出两只眼睛，夕阳透过缝隙照射进来，她凝视着空无一物的上方。刘建国继续说，绣得好啊，活灵活现，真见手艺。我记得你妈从前跟我说过，我这老闺女啊，人太实在，做事图良心，最后总得把自己搭进去。不过她的命好，什么东西到了最后啊，也都有她一份儿，该是她的，总归跑不了。你妈是不是有过这话儿？我没瞎说吧。所以放心吧，有点耐性。我知道你脑子里想的是啥，信你妈说的吧。买卖，鱼，闺女，手机，苹果，上帝，这个那个的，绕一圈后，最后都还得围着你流转，像水一样。眼睛闭上眯会儿吧，我都困了。

吕秀芬逐渐平静下来，无声无息。时间滞在半空，光却更低更沉了，枕巾上的那对儿鸳鸯被一点一点漫过来的黑暗浸透，变得湿润而混浊，仿佛要扎进无尽无涯的水里，缠绕着水，环抱着水，从此不再出来。

云泥

张久生给我打电话，说想吃螃蟹了，不要河蟹，要飞蟹，海蟹，学名三疣梭子蟹，挑壳薄肉厚、钳子挂花的，不用多，仨公仨母，我一顿都造了就完事，不过夜。我说，我出车呢，你等过中秋节的吧，螃蟹肥。张久生说，不行，这礼拜我就想吃。我说,越活越回旋,说你点啥好呢。张久生说，最迟礼拜五，你早点去塔湾市场，把这件事给我办得明明白白的，听见没有。我说，行了，赶紧撂了吧。

车正开到建设大路，前面堵了一长溜儿。我点了根烟，数起四周的车来：金杯，桑塔纳，宝来，凯美瑞，奇瑞，电动倒骑驴。乘客小姑娘跟我说，大哥，你钻一钻呗，我着急，我要去相亲，对方在银行上班的呢。我说，往哪钻呢，你看，这都变停车场了。小姑娘说，那我咋办啊。我说，不然你让他过来吧，你俩就在我这车里相，我也可以给你把把关，唠渴了就喝我瓶子里的花茶。小姑娘愣了愣，骂道，有病吧你。然后下车摔了门。她穿着高跟鞋，挎着镶满塑料珠子的长方形手包，细带搭在宽阔的肩膀上，在凝滞的车群里艰难穿梭，一步一步挪到路边后，继续招手打车。我把车窗摇下来一大半，冲她喊说，打车钱不给啊。她对我翻了个白眼，又扭着胯往前走了几步。电动倒骑驴在旁边嘿嘿嘿地笑话我。这时，张婷婷又打来电话，问我在哪儿呢。我说，在建设大路上呢，让人甩单了，我还动不了。她说，咋的你让人点穴了啊，动弹不了。我说，堵车呢，你等会儿，我先骂她两句，机会难得。张婷婷说，别骂了，十块八块的，说正事儿，我在麻将社呢，晚上不一定几点回去，你给孩子做口饭吃。我说，知道了。

放下电话，我探探身子，通过前挡风看天上的云，十分写意，缓慢而柔韧地横向移动，进退，显隐，落下细微的痕迹，转瞬又被磅礴的后来者所吞噬，覆盖；没有多少光从中泄露，却也很晃眼，使人晕眩、涣散，我脑袋里想着，六个螃蟹得多少钱呢。直到后面的车按喇叭。我往左一打方向盘，烟灰又落到了裤子上。

张久生是张婷婷的父亲，张婷婷以前是我爱人，上个月刚离的，但暂时还住在一起，没有对外界宣布，关系比较微妙。原因是我女儿余娜明年要中考，怕她知道后影响心情，所以我们先对付着过，搭个伙呗。我无所谓，反正没新目标呢，张婷婷有没有我不知道，爱有没有吧。

晚高峰之前，我把车开到皇姑区，钥匙和份子钱交给车主大头，大头是我哥们，他养的车，我给他开白班。点了点兜里赚的钱，出门时带了三百四十五，刚才加了一百块钱的油，现在兜里总共有四百七十六元，净赚一百三十一元，八个半小时。我从市场里买了青笋、西红柿和牛肉，还拎了一筐鸡蛋，几个鸭梨，两纸儿挂面。回到家里，看了会儿新闻联播，居然看饿了，便去做饭，牛肉炒笋丝，西红柿拌白糖，熬了一锅二米粥。余娜下自习回来时，粥正在灶上咕嘟着冒泡，晚上八点半，我俩捧着两个瓷碗，转着沿吸溜着。

我说，你也吃点笋，别光挑牛肉吃。余娜说，别管我，我吃点肉压压惊。我说，怎么的，谁吓唬你了。余娜开始给我讲，话匣子打开了，呜哩哇啦，连说带比划，绘声绘色，很像她妈。

爸，我不有点感冒么今天，在学校就没精神头，放学时也特困，骑着自行车在路上画龙，等交通信号时，一个不留神，车的横把一栽歪，蹭到旁边摩托车的后备厢上了。男的骑着摩托车，后面驮着个女的，都是中年人，跟你岁数差不多吧，给人感觉可凶了，不像好货。女的穿一大披风，当场下车拽住我，然后跟男的说，快去，看看刮成啥样了。我说，你别拽我呀，我也跑不了，松手啊，都快把我校服拽坏了。男的下车一看，指着说，你看，我新买的车，划了这么深的一道，你说怎么办吧。我是当时特着急，说，我能怎么办啊，你这也不是多大毛病，不就掉了点漆么。男的往后备厢上吐口水，特恶心，用手使劲蹭那道印儿，边蹭边训我，非让我给他擦干净、补上漆，要么就赔钱，百八十的至少。我说，我怎么会弄啊，再说也没钱啊，当时都要急哭了。然后我们那个同学，你见过，送过我回家的，赵晓东，他爸是警察，推着车从后面钻出来，把车停稳，特生猛，指着那男的说，有你这么欺负人的么，好意思么，这么大岁数了还欺负小姑娘。那男的一听，眼睛立起来，摘了手套，单手拎着举到半空，摆出一副要用手套扇脸的样子，跟他说，有你啥事没，没有赶紧滚。赵晓东挺爷们的还，也不怕，梗着脖子，挺起胸膛就撞上去。反正僵持了一会儿，围观的人越来越多，我都懵了，脑子一片空白，然后又有几个我们班的同学围过来，那男的可能见阵势不妙，掏出手机装作打电话，然后自言自语说，啊，算我认倒霉吧，我还得去做买卖呢，下次饶不了你们。于是一溜烟儿跑了。我在原地待了半天才缓过神来。

讲完了？我说。讲完了啊，爸，你怎么都不关心关心我，我都吓屁了。余娜一脸不乐意地说。我问，赵晓东老跟着你回家干啥，我挺烦他爸那股劲儿，开家长会见过两次。余娜说，爸，会聊天吗，能抓住重点吗。我说，下次再有这情况，你稳住对方，然后联系我啊。余娜说，情况紧急，来不及啊，但是你要在场，能怎么处理啊？我说，我上去给他俩个电炮。余娜一撇嘴，说，简单粗暴，一点处事智慧也没有。说完又在盘子里扒拉牛肉吃。

我刷完碗，又削了两个梨，我一个，余娜一个，梨这东西不能分着吃。我俩隔着桌子啃水果，吭哧吭哧。她翻着生物书，我给张婷婷发短信，问她几点回家。梨吃完了，只剩一个精瘦的核，她还没回我信息。

半夜一点半，我起来上厕所，张婷婷还没回来。我按亮手机，发现她也还没回短信，我没忍住，给她拨去电话，响了五六声才接，那边很嘈杂，有歌声，像是在 KTV 里，她问我，打电话有事啊？我说，几点了，还不回来。她说，你管我干啥，你现在有资格么你。我说，我才懒得管你呢，我是怕你回来关门声吵醒余娜，你不回来的话，我就不给你留门了。她说，你反锁吧，我今天不回去了，正唱得高兴呢，都是一个青年点的老朋友。我说，你他妈也没下过乡啊。然后她把电话挂了。

礼拜五，没啥人打车，路上人特少，都提前进入周末状态了。我早早收了工，买了几个螃蟹，还有一斤虾爬子，两斤黄蚬子，拎着去了工人村张久生的家。院墙半落，旧楼在初秋风里垂垂伫立，仿佛刚经历过一场曲折绵长的战斗，而胜负已经不重要。

丈母娘王淑梅给我开的门，接过去我手里的东西，眼睛瞄了下里屋，低声跟我说，这都一整天了，就等你过来呢。我说，他哪是等我啊，他等螃蟹呢。我朝着屋里喊了一嗓子，老张头，出来吃螃蟹了。张久生踱着步走出来，眼镜顶在脑门上，表情还挺严肃，说，来了就好，来了就好，晚上吃海鲜的话，我们喝点好白酒，陈酿。我说，别扯犊子了，你家还有陈酿呢？张久生说，有，怎么没有，你妈一直没让喝，散白酒，存了一个多礼拜了，一直没动。

张久生这个人，干啥啥不行，唯独吃螃蟹，那是一绝，我特别服。人家都说南方吃螃蟹得上八件，才能吃得干净剔透，张久生只用两只手加一张嘴，也能做到同样程度，吃得那叫一个细致板牙，一点一点地扣、拧、捻、捏，钳子缝里，背盖的边沿，他对螃蟹的身体结构比对王淑梅的要更了解。吃完一只螃蟹，他又连扒了三个虾爬子，然后举起白酒跟我干杯，抿一大口，跟我说，正国啊，你这么做就对了。王淑梅在旁边说，对啥对啊，大夫不让你喝酒。张久生说，你别听他的，我想吃啥，你就给我弄来，我不跟你客气。我说，那是，你啥时候客气过啊，从来没有。张久生说，那你知道我为啥不客气不？我说，知道，等你没了之后，你这财产都是我的。张久生望向王淑梅，然后说，看见没，我就愿意跟明白人儿唠嗑，我还能活几年啊，对不对。王淑梅不吱声。我心想，哪来的财产啊，就一个破房子，再说我跟张婷婷都离了。

三个螃蟹下肚，张久生喝得有点高，大手一挥，露出心满意足的笑，回屋里躺着睡觉去了，岁月不饶人啊，他是真老了，以前怎么也能吃四五个，酒也能喝个半斤八两的。王淑梅去厨房刷碗，我换了啤酒，自己继续喝，电视放着成龙演的电影，里面有人跟他对打，出手之前大喊一声，王淑梅从厨房伸出脑袋，说，你说啥。我说，妈，不是我，电视里，成龙喊的。王淑梅说，你让他小点声。

王淑梅的耳朵不好使。前几年病过一场后才这样的，动静听不真切，没得病之前，还不服老，出门前总爱打扮几下，爱去跳舞，挺招风，公园里好几个老头儿拄着拐棍围着她转，一个说，淑梅啊，你现在还能下得去腰吗，另一个说，淑梅，你舞跳得真好，我从网上看见句话，记纸上了，特别适合跳舞时的你，我念给你听听：温柔的你长了三头六臂。得病后彻底完犊子了，干巴巴的身子佝偻着，像晾干的虾米，在蓝白条病号服里直咣当，一下老了得有十岁，岁数大了就是不抗折腾。住院期间，我白天开出租，晚上去肛肠医院伺候她，张久生和张婷婷见我去了，恨不得拍起巴掌来，前后脚都撤退，一个回家喝酒，一个出去打麻将，整宿就我一个人陪着老太太。老太太开始还很含蓄，放不开，我问，妈，撒尿不？老太太摆摆手，皱着眉头。我说，你是不是不好意思啊。老太太没说话。我说，那没事，你继续不好意思，正好半夜也别喊我，我也省事了，你就直接往床上拉，明天护士来换床单，我看你好意思不。说完我就往地上的气垫床上一躺，蹬掉鞋子，闷两口酒，开始睡觉，其实也根本睡不踏实。到了半夜，老太太喊我，声音特轻，小余啊，小余，喂，余正国。我挺来气的，躺着跟她讲，你有事大点声说，别神神道道的，我还当是亲妈回来喊魂了呢。老太太说，便盆。我说，想通了啊你可算，女婿是半子儿，没啥不好意思的，都是自己家里人儿，别总抹不开，再说，我来干啥来了，对吧，是不是，就是照顾病号来了，跟我还外道，太没有必要了，你这样的啊，就得受一受憋，不然还不知道咋回事呢。老太太说，别叨叨了，快，给我上便盆。

出院之后，王淑梅对我的态度转变很大，不像从前，结婚十几年了，还瞧不上我，觉得我配不上她女儿，现在跟我比她女儿还亲。她刷完碗，又给我沏一壶茶，然后说，你跟婷婷到底咋回事。我说，挺好啊，没咋的。她说，婷婷都跟我说了，离了，她在外面有人了。我说，有就有吧，我也管不着。她说，真离了啊。我说，不信下次证带过来给你看看，也是红色，跟结婚证长得可像了，就差一个字。她叹了口气，说，正国啊，正国。我说，干啥，别整没用的，用不着你可怜，螃蟹我再来一个啊，今天不着急回家，不用给余娜做饭，她跟同学去吃肯德基。

张婷婷回来时，我眯着眼睛躺在床上，没睡着，脑子里嗡嗡的，这几年落了新毛病，喝点白酒就失眠，但有时候还忍不住想喝几口。我听见她换拖鞋，去卫生间撒尿，扯手纸，洗脸，泡脚，再把水冲入马桶，然后蹑手蹑脚地走进来，从立柜里抱出一团铺盖，背对着我躺下。我翻个身，看见她那边有亮，噼里啪啦地按了半天手机，边按还边扑哧扑哧地笑。我说，有完没？张婷婷没吭声。我说，你还知道回家啊？你女儿要考试了知道不？张婷婷说，一股白酒味儿，又跟谁喝去了。我说，跟你爸。张婷婷说，他身体不好你不知道啊？还跟他喝喝喝，喝死我跟你没完。我说，这说你女儿呢，要中考了，最近还早恋上了。张婷婷说，你别听风就是雨，要相信娜娜，孩子自己心里有数。我说，那你呢，心里也有数了？张婷婷转过半边身来，脸朝着天花板说，余正国，你有话说话，别跟我没事找事。我说，没事，睡了，明早还得出车。我能感觉到张婷婷在黑暗中斜了我一眼，一道白光闪过，然后她把身子又转了回去，继续按手机。

交车时，大头跟我说，今晚我就开到十点，哥们请你喝酒，吃烧烤，然后白马江唱会儿歌，你给孩子做完饭后早点去西塔那边，放松放松。我说，喝啥啊，浪费钱。大头说，不行，今天必须去，你刚离婚那几天就想找你，开导开导，别想不开。我说，我很好，心态平和，说实话，我跟她也是过够了。大头说，那你就当陪我，我郁闷，行不？我没法推脱，说那行吧，我看看情况，争取去。大头说，还争取啥，必须到，我都订台了。

我骑着自行车去学校门口接余娜，好几个家长也在等着接孩子，聚在一起说话，叽叽喳喳，大多是女的，我不认识，也没加入。我站在稍远处，抬头望天，很久没看夜晚的天空了，没想到现在晚上也这么亮，跟白天区别并不明显，略阴沉，但似乎要更广阔一些，也更苍茫，深邃，暗光在其中涌动着，云层遮蔽，仿佛混沌的黑洞，吞噬掉时间、力与经验，空荡荡的没有回响。乌云如湿泥，遮住左眼的一部分，不断游移、膨胀，即将遮住天空更多的部分，我愿有明亮而年轻的精魂驻守其背后。有学生从教学楼里出来了，一个，又一个，然后是两三成行的，零零散散，斜挎着包，穿着宽大的校服，去往自行车棚或者直接走出校门，几句脏话夹杂在放肆的笑声里。

余娜出来了，一个在门口等着的男孩立马跟了上去，走到她身边，不断地说话，我看着像赵晓东，但不敢确认，我不太能记得住长相。没走几步，余娜就看见我了，回头跟男孩说了句什么，男孩转头离去，余娜低着头朝我走过来，老大不情愿，问我，你怎么来了。我说，没做饭，合计今天带你在外面吃一口。余娜说，来也不提前告诉我。我说，我接你还用向谁请示啊。余娜冲我甩脸子，说，不跟你一起吃饭，你给我钱，我找同学一起去，你自己先回家吧。我说，别生气啊，吃肯德基去吧咱们。余娜气哼哼地说，不吃不吃不吃，然后转身要走。我掏出一张五十的，说，哎哎，算了，钱你拿着，路上加点小心，你们吃去吧，别不吃饭，千万别不吃饭。

余娜一把拿过钱来，去取了车，越骑越远，我往反方向骑，寻思去跟大头聚一聚。刚骑两个路口，王淑梅打来电话，说，你干啥呢，快过来一趟，你爸好像在家里摔了，然后就不会说话了，干瞪眼，你来看看咋回事。我又掉头骑到工人村，满脑袋冒汗，张久生半坐在地板上，虚胖的身子斜靠着沙发沿，王淑梅嘴唇发青，说，你快看看，这咋回事，咋还不会说话了呢。我把张久生扶到沙发上，死沉死沉的，一点力也借不上。我拍拍他的脸，问，我是谁你认识吗？张久生瞪着我，嘴里说，呜呜呜呜。我继续问，你家存折放哪了还知道不？张久生依旧死瞪着我不放，说，呜呜呜呜。我跟王淑梅说，妈，打120吧，情况不好，别再耽误了。王淑梅颤巍巍地回屋里拨电话。我点了颗烟，深吸两口，然后往张久生的嘴里塞，他努力想叼住，却老往外掉，使不上劲儿，我说，这回可好，烟也抽不了了。张久生说，呜呜呜呜。我坐在张久生的腿旁，捡过来烟自己抽，在茶几旁磕了磕烟灰，然后跟他说，我跟婷婷离了啊，上个月的事儿，告诉你一声。张久生说，呜呜呜呜，呜呜呜呜。

在救护车上，大头给我打电话，说，到没啊，跑哪去了你，就差你了，这么能磨蹭呢。我说，家里出事了，我爸病了，可能是血栓，挺重的，正往医院去呢。大头说，谁啊，你爸不早就没了吗？我说，不是亲爸，张婷婷她爸。大头说，你有病啊，你不离婚了么，还啥事都管呢。我说，买卖不成仁义在。大头说，鸡毛仁义。我说，总有亲情在啊。大头说，鸡毛亲情。我说，你接着出车吧，今天不聚了。大头说，出鸡毛车，赶紧的，送完医院过来唱歌，就愿意听你唱的刀郎，贼鸡巴荒凉。

张婷婷到医院的时候，张久生被推进去得有半个小时了，不知道是在做什么检查，开了一堆单子。张婷婷直奔向王淑梅，着急地问，我爸咋样了，现在啥情况啊。王淑梅拿着手绢，一直在眼角上用力地揩眼泪。张婷婷扭过脸来，跟我说，就赖你，成天跟他喝，这回可好。我说，我不也图他高兴么。这时，我身后又传来一个声音，没关系，没关系，我找找朋友，别着急，这个医院我有朋友。我才发现，张婷婷并不是自己一个人过来的，说话的这个男的跟她一起来的，面目生疏，应该是新认识的，看着至少比我大十岁，头发花白，但穿得挺立整，夹着提包，派头十足，手里握着一盒玉溪和塑料打火机。

然后他在走廊里打起电话来，声音很大。喂，喂，三哥，睡觉没？哈哈，没睡呢，休息挺晚啊，打扰你一下啊，三哥，有点事得麻烦你。我在你们医院呢，不不不，我没事，不不不，我家人也没事，我的一个好朋友，父亲犯病了，现在就在这儿呢，岁数大了身体不好，好像挺严重的，家人都挺担心，不知道啥情况啊，我也在这边呢，一听说这事就赶过来了。啥关系啊，哈哈，没啥关系，后来认识的好朋友，但挺交心的。对，对对，没事，你现在不用过来，明儿早上的吧，上班时候你过来看一眼，帮咱嘱咐两句，该疏通的疏通一下，要不我这朋友也不放心。那行，那谢谢三哥了啊，回头我找你喝酒。好嘞，不担心，好嘞，今天我在这守着，咱们明天早上见。

挂了电话，他坐在张婷婷身边，拍着她的大腿说，没事，没事，听见我打电话没，别担心，我朋友明早过来给安排。张婷婷点了点头，然后跟王淑梅说，妈，这我朋友，李林，在北京做医疗器材生意的。王淑梅点点头，那个男的凑上去握手，恭敬地说，阿姨，您好，初次见面。我在旁边说，按你这岁数，叫大姐可能也行。他们三个扭过头来看我，动作齐整，但是谁也没回话。又过了一会儿，我说，没事我先走了，娜娜自己在家呢。仍然没人搭理我。走出去几步，拐弯时侧头一看，他们三个人挨得很近，互相低声说着话，十分温馨，我能感觉到一股家庭的力量正从中涌现出来。张久生的命真好啊，总有人惦记。

我没坐电梯，走楼梯下去的，每一层的缓步台处，都有人在抽烟，男的女的都有，踱着步或者坐在台阶上，灯光昏暗，我也忍不住点了一颗，然后给大头打个电话，说，今天真不去了，你们好好唱吧，我还在医院呢，我爸可能要不行了。大头说，唉，行吧，你也就这点出息了，不听劝，需要帮忙时说话吧。我说，谢谢大头，谢谢了。

出了医院，我往工人村的方向走，我要去取回我的自行车，再骑回家里，估计到家时余娜都已经睡着了，她姥爷生病的事情，我是今晚告诉她，还是明天早上再说呢，暂时还没想好。云散开了，夜在这时却变得很黑，我在紧密的楼群里穿行，却仍觉得无比空旷，风硬邦邦地吹过来，从四面八方吹到我身上，一点一点地带走剩余的体温，我打了个寒战，很想唱一首刀郎的歌。

超度

“快点锁车上楼，你磨蹭啥呢，几点了都。”董四凤催促着李德龙，嗓音尖细，语气严厉，像一位母亲在呵斥自己不争气的儿子，一撮染得枯黄的卷发在风里飘扬。

“我再跟你说一遍，这是最后一遍，这活儿你愿意干，你就干，不愿意干，我找别人过来，一样合作。人哪，得知道自己的位置,社会多残酷啊。我说你呢！你听见没啊！别跟我装聋！”董四凤一边以语言教训着，一边用拳头重重地杵在李德龙的胸口，指关节直戳心脏。李德龙连退两步，抚摸着胸口，满脸不解的表情，眼神无辜，仍一句话不说。

“唉，我说的话，你得往心里去啊，老李。起早贪黑的，咱俩图啥呢，搞砸了都没饭吃。”走上三楼，董四凤的态度忽然有所好转，语气也缓和了许多，步伐放慢，走在后面的李德龙差点撞在她那肥大宽厚的屁股上。“做咱们这活计，啥最关键，你得专业呀，得赢得人家的信任。怎么体现你的专业,首先必须得遵守时间,不能迟到。说几点就位,必须几点就位。咱俩现在是事业上升期，马虎不得，一失足成千古恨啊。你看看，现在马上十点了，咱们还得准备准备，着急忙慌的。十点一十八，黄鼠狼子搞批发。咱这仙家就得这个点儿出来，你说如果晚了，时间不赶趟，老仙家上不了身，钱赚不到不说，场子和名声也毁了，我看你到时上哪儿哭去。咋地你还想二次下岗啊？”

李德龙叹了口气，说道：“知道了，别叨叨了行不，这些道理我还能不知道咋的？我傻啊我？祖宗，我求求你了，能不能闭会儿嘴，给我一点空间，好不好，让我自己安静地郁闷几分钟。刚买的摩托车就被划一道子，倒不倒霉。那道白印儿，跟他妈一道保险杠似的，还带反光的。划得我的心这个疼。那群小崽子,跟他们还讲不了理,气死我了。一分钱也没赔上。妈的。”

“还想讲理呢，你啊，整天钻没用的牛角尖，事情已经发生了，你去解决就完了，解决不了的，你就得认。今天没让那帮学生揍一顿，都是我给你带来的福气儿。你得知道感恩啊，老李。过去的事情就过去了，哪怕是刚刚过去的事情，也算是过去了。你都多大岁数了，这道理我还得跟你一遍一遍地讲啊？”董四凤撇着嘴自顾自地说，眼睛没在李德龙身上停留过一秒钟。

“感恩的心 / 感谢有你 / 伴我一生 / 让我有勇气做我

自己……”李德龙在后面轻声哼唱道，声音是从牙缝里挤出来的。董四凤忽地停下脚步，回头狠狠地瞪了他一眼，李德龙不再唱歌，苦脸上漾起一丝略带歉意的微笑。

不足十平米的客厅里，香气缭绕，李德龙在中央正襟危坐，半闭着眼，净手过后，他戴上方帽，手里挂着链铃，敲着单鼓，嘭嘭咚咚嘭，咚咚嘭嘭咚，咳嗽几下，之后有板有眼地吟唱：

日落西山黑了天，家家户户把门关；
喜鹊老鸦上大树，家雀燕虎子奔房檐；
大路断了星河亮，小路断了走道儿难；
十家倒有九户锁，还剩一家门没关；
烧香打鼓我请神仙，哎嗨哎呀哎……
…………
芝麻开花节节高，谷子开花压弯腰；
茄子开花头朝下，苞米开花一嘟噜毛；
小姑娘开花嗷嗷叫，小伙子开花秃噜三秒；
老娘们开花腿抬得高，老爷们开花得靠伟哥闹；
拉拉扯扯老半天，我看老仙儿，好像要来到?
…………
老仙家呀，已是十点一十八；

你要来了我知道，不要吵来不要闹；

楼上的娃都睡着了吧，隔壁的两口儿又胡一把；

老仙家呀，你听我一句劝；

过去的恩恩和怨怨，前尘往事如云烟；

有些故事还没讲完，那就拉倒吧；

那些心情在岁月中，它难辨真和假；

现在社会荒草丛生，上哪找鲜花；

好在你曾拥有他们的，春秋和冬夏；

…………

老仙家呀，电门你别摸，水闸你别碰；

咱家屋里小，磕着碰着可不得了；

你上她身子来歇一歇，我去二番起个鼓，

图啥呢我到底？二番起鼓我请几个神佛：

通天教主上边坐，金花教主陪伴着，

一请狐来二请黄，三请蛇蟒四请狸狼，

五请判官六请阎王，咱们来到客厅有事商量

哎嗨哎呀哎……

“咋这么多，还都请来咱家来了，装得下吗？”老孙小声嘀咕着。“闭嘴吧你，听人家唱，唱得多好。他俩是龙凤传奇，工人村这片儿办白事的后起之秀，你对人家有点儿尊重。”老孙的二姐说道。她一直目不转睛地盯着董四凤和李德龙二人。董四凤披头散发，穿着一件粉色的褂子，神情木然，始终在以同一频率前后摇晃，忽然间，她连打了两个激灵，然后左脚开始快速上下抖动，几十秒后，仿佛听到遥远的一声呼唤，倏地一停，直挺挺地栽倒在地板上，目光直视沙发底下，双眼放亮，仿佛在寻找遗失之物，同时浑身开始不断抽动，双手向着空中不规则地舞动、扭摆，口中念念有词，活像一只被翻了个的虾爬子。

“哎我去，是不是我妈来了。”老孙一声惊呼。他想起母亲去世前，躺在医院的床上挂吊瓶，脸上扣着氧气罩，眼皮半搭，呼吸依然急促，有好几次，母亲忽然双手舞向上空，连指带比划，力道很大，像是一直在反抗，老孙好容易才控制住，他轻轻地抓住母亲的胳膊，然后缓缓地用力，将母亲的胳膊掖到棉被里，低头轻拍着，温柔地说道：“妈，好好休息吧，别冻着了。”老孙的母亲怒目圆睁，趁老孙不备时，另一只手迅速摘下氧气罩，说：“小王八操的！我滴流瓶都打空了！叫护士，按铃，快！”

那一瞬间，老孙盯着在地板上翻腾着的董四凤，彻底恍惚了。李德龙也愣了神，呆坐一旁，脑子里还想着自己被刮坏的摩托车，直到抽搐的董四凤在地上蹭过去，猛踢了他一脚，他才缓过神来，对着老孙和他二姐大喊一句：“你俩等啥呢！还不把你妈扶起来！”

老孙和二姐不敢怠慢，连忙搀起咿咿呀呀的董四凤，将她扶到沙发上，董四凤瘫坐其上，身体依旧微微颤抖，像是在不断地打着冷战，口水横流，目光迷茫呆滞。

“快，愣着干啥，给上颗好烟，让它稳当稳当。”李德龙在一旁发号施令。

“给谁上烟啊？我妈以前也不会抽啊。”老孙纳闷道。二姐掐着老孙大腿，大声骂道：“你咋这么多问题呢？就你聪明呗。赶紧给点上，听人家的。”

李德龙在一旁说：“刚学的呗，在那边老太太没意思，偶尔抽一颗解解闷儿。刚过去的人儿都有这习惯，不算啥毛病。”

老孙不敢怠慢，兜里掏出烟，连忙递到董四凤嘴里，并打火点燃。董四凤猛嘬一口，吐出一团烟雾，烟和香融合在一起，整间屋子里充满了火的味道，温度仿佛也在升高。董四凤低头咽了口唾沫，停滞五秒钟，看了看手里夹着的烟，然后慢吞吞地说了句：“红塔山啊。”

老孙说：“对。行不，我平时就抽这个啊。要不我下楼给你买盒大会堂啊？”

李德龙把话赶紧截过来，说：“别扯没用的了。时间有限，十一点钟之前必须给人家送走。抓紧时间，你俩有啥想跟老太太说的。”

二姐怯生生地捅着老孙的肋骨，说：“你问啊。”老孙一皱眉头，说 :“不对啊二姐，今天是你组的局儿，仙儿都是你找来的。按理说得是你坐庄，你先问吧。”

“赶紧的啊，别浪费时间。”李德龙不耐烦地催促道，单鼓扔到一边，他也点了一根烟，慢悠悠地抽起来。

二姐想了想，试探着问了一句 :“妈，你走的时候难受不？”

董四凤长叹口气，压低声音，哑着嗓子说 :“唉，还行吧。”

二姐接着问 :“你在那边咋样？”

董四凤往地上弹儿下烟灰，说 :“还行。”

老孙看着二姐说 :“我的天啊，真是妈啊。这不是就是咱妈的性格么，啥都还行，还行，还行的。”

“滚一边子去，”二姐骂完老孙，继续问，“妈你走后，有啥不放心的没？”

董四凤想了想，说 :“有。我就不放心你们俩啊。”

老孙说 :“这嗑唠的。活着时候你也没咋管过我俩啊。就想着找后老伴儿了。”二姐瞪着老孙说 :“你消停一会儿，能死不？能不？”

老孙点点头，说 :“行行行，从今往后，我再也不吱声了。你问吧。好好沟通。”

二姐接着问道 :“妈，你不放心我俩啥呢。”

董四凤抽完最后一口烟，扔地上用脚掐灭，思索片刻，然后吐出两个字："家庭。"李德龙在一旁感慨道："老太太还是惦记你们哪。这当妈的。"

二姐低着头说："唉，惦记有啥用，我还有啥家庭。我这岁数了，老公跑了，还带个孩子，谁能跟我啊。孩子也不省心，成天上网吧。我这天天给人打工，累得跟王八犊子似的，也不知道是在给谁累，唉！"说完后抬起头，眼泪在眼圈里打转，望着李德龙，又看了看弟弟老孙，盯着看了半天。老孙被看得发毛，说："瞅我干啥。你不让我别吱声么。我一句话都不说。"二姐说："你现在给我置个屁气，你倒是也问问啊。"

老孙想了想，对着董四凤问道："妈，你还有没有什么存折啥的，是我和我姐不知道的。宝藏啥的也行，我的一大爱好就是探宝，这你应该知道。"

董四凤愣了神，半晌没有回话。

二姐接着问："对啊，妈，你以前那对儿金镯子呢，我记得你有一对儿，你走之后我这一顿翻腾啊，家里找个底朝天，也没发现。"

老孙心里一惊，原来二姐还不知道内情，那俩镯子早就被老孙忽悠到自己手里了。前几年，老孙从自己古董店旁边的"菁菁足疗"雇了一个小妹，假装是自己的对象，带回家里吃过几次饭，甜言蜜语一番，以要定亲为由，将镯子顺势拿走。但此时他装作毫不知情，帮衬着问："对啊，放哪了啊，妈。你……慢慢想，妈，别有压力。”

董四凤又开始浑身颤抖，嗓子仿佛被绳子勒紧，声音从其中仅有的缝隙里钻出来，危险、扭曲而嘶哑，如野猫的叫声一般，她念了一首诗，因为生疏，中间卡顿数次：

“一锥草地要求泉，努力求之得最难；无意俄然遇知己，相逢携手上青天。”

老孙和二姐面面相觑，连忙问道这是啥意思。李德龙说：“这就是镯子放的地方。你们自己悟吧，不能说透。”

二姐问老孙：“你悟到啥没？”老孙皱着眉头，严肃地说：“感觉，可能，我感觉啊，是不太好。我听着，怎么让咱俩携手上西天呢。”

二姐听后，身子颓着贴在椅背上，有气无力地说：“不问了，不问了。妈，你走吧，没啥事别回来了。”然后转过身来，晃着身子，对李德龙说：“送走吧，送走吧。也到时候了。”

老孙起身，从后面靠住虚弱的二姐，生怕她支撑不住，跌倒在地。刚没了一个，要是再病了一个，那可麻烦大了。

李德龙擦了擦头上的汗水，又拿起单鼓，准备唱一套送神的词。老孙一把拦住，说，你等等，我再替二姐问最后一个问题。李德龙对董四凤使了个眼色，像是在问是否可以，董四凤闭着眼点头，说：“你问吧，最后一个。”

老孙跟李德龙说道：“我这二姐，人好，孝顺，也能吃苦，就是命不好，生活过得挺难。”二姐半倒在老孙怀里，自己静静地抹着眼泪。“老早年里，厂子里的第一批，二姐就下岗了，后来给人刷过碗、包过饺子、干过保洁，不管冬夏，累出来一身毛病。后来老公也下岗了，也就是我那个前姐夫，他可不是个物儿，揣着买断的几万块钱，说是上南方打工去了，其实没走，跑旁边的村儿里赌去了。”老孙顿了顿，继续说道：“赌，咱不怕。但你得赢啊，他可倒好,输个干净。输就输了吧,输完你就回家呗。他家也不回，跟打麻将认识的一个女的，俩人走了，这回真去南方打工了。人没了,找不到了。上派出所问了,人家说了,男人么，生而自由，不给挂失。”

老孙给董四凤和李德龙又点上一根烟，继续说道：“最要命的吧，是我二姐的儿子。那大胖小子吧，小时候学习不错，三好学生，荣誉证书好几本，还参加过智力竞赛呢。长大后完了，成天跟住网吧似的，天天打游戏，着了魔了。经常不回家，回家就是来要钱。你说不给吧，怕他出去干坏事，偷抢拐骗，那不犯大错误了么；一直给下去吧，好像也不是个办法。所以啊，我问问两位。啊，不对，我问问孩子他姥,你给瞧瞧,像咱孩子这种情况,有没有啥说法，怎么处理能化解一下？”

董四凤说：“这个事儿啊，明白了。”李德龙想了一下，叹气对二姐说：“你家孩子是不是小时候特别听话，现在一点儿也不听你的了。”

“对，对对。”

“是不是小时候长得挺好看，这两年越来越磕碜了，不如以前顺眼。”

“对，对对。”

“小时候学习好，不用你操心，让干啥干啥。现在成天跟你对着干。”

“对，对对。”

“性情变化挺大的。跟以前像俩人儿。不孝顺了，也不尊重你了。”

“可不咋地。”

董四凤跟李德龙对望一眼，然后说：“我是孩子他姥，我整明白了。”

老孙问：“快说说，到底咋回事。”

董四凤让几个人把脑袋聚过来，低声说道：“上身了。刚才我在恍惚之间，看见那个玩意了。你家里有影儿。”

二姐问：“上谁身了？啥意思。”

李德龙鄙夷地说：“这咋还听不明白呢，你儿子身上不干净，有脏东西一直跟着他。”

二姐说：“净胡扯，他衣服也不埋汰啊，我总给洗。”

老孙说：“二姐你能有点文化不，人家说是上身了，附体，中邪，懂没？孩子他姥，你快给看看，那东西到底是啥。”

董四凤深吸一口气，咳嗽几声，烟抽多了，嗓子眼里卡着痰，她捏着脖子，奋力挤出两个变声的音调："精灵。"

老孙和二姐都没听懂，一起抬高嗓门，不解地问了一句："啥？"

董四风清清嗓子，刚想说话，李德龙立马接过去说："你们啥耳朵啊，这都没听明白啊。精灵，蓝精灵，懂不懂。蓝精灵上身了。好了，今天到此为止吧。我得给你妈送走了。想驱走精灵，得另做法事，选个黄道吉日，弄个车来，得带好几把大宝剑，在室外追击，才能赶尽杀绝，今天是不行了。你们想想吧，超度加驱鬼，套餐给你们打个折扣啥的。"说罢，李德龙又敲起单鼓，念起送神的词儿来。董四风再次跟着节奏，前后轻微摇摆，像是要将自己身体里的魂魄甩出去。

二姐低声跟老孙嘀咕着："蓝精灵谁啊？"

老孙说："外国的。孤陋寡闻呢，蓝精灵都不知道。歌儿没听过吗，在那山的那边海的那边有一群蓝精灵，他们活泼又聪明，调皮又任性。"

二姐说："任性啊，那怪不得。小崽子怎么还把外国老仙家招来了？等他回家，我非得削他一顿。"

老孙说："蓝精灵也分吧，挺多品种，不知道具体是哪个过来了啊。看看情况再说。我也纳闷了，那玩意平时在森林里啊，不咋出门，这次怎么过来的呢，走的东西快速干道啊？"

董四凤坐在摩托车后座上，迎着风破口大骂："李德龙，我他妈看你长得像蓝精灵。"李德龙笑着说："你的思维现在太活跃，我有点跟不上节奏。你说，他们能找咱们赶小鬼儿不？"董四凤说："我看你脑子有病，净他妈想美事，今天差一点就栽了。电话赶紧删了，这家的活儿以后再也不能干了。记住了给我！"

李德龙点了点头，之后他想到，身后的董四凤可能体会不到他点头的动作，便又"嗯"了一声，重重的鼻音，算是回应。董四凤的双手环抱着他的腰部，他对现在的姿势非常满意。时间已经临近午夜，路灯全亮，车和行人都很少，摩托车发动机的声音干脆而清晰，李德龙骑得很慢，不怎么拧油门，只在路上平稳滑行。他想象着，想着自己是在开一艘船，海风，灯塔，浪花，礁石，在黑暗的前方，正等待着他逐个穿越，唯有彼岸才是搁浅之地。船身有一些疤痕，那是搏斗、撞击或者侵蚀的痕迹，时间的痕迹，当然，他的身上也有一些，每个人的身上终究会有一些这样独特的痕迹。无论是在阳间，在阴间，在工厂里，在黑夜里，在海水里，他们正是凭着这些痕迹找到彼此，并重新依附在一起。

破五

大年初五。战伟说要带我去见见世面。

“那阵势，你这辈子都没见过。比上次咱俩喝多了去足疗可有意思多了。”他倚在我家的门框上，肚子突出，胡乱地比划着，手里夹着烟，披着件蓝色棉猴儿，里面穿着一件脏兮兮的T恤，上面印的是史努比狗，狗的脸跟他的一白一黑，相映成趣，除此之外，他脸上还有许多细密的暗坑，像雨滴落在沙滩上。

“我上次陪雷子去，雷子直接点五千扔下去，根本不眨巴眼睛。雷子现在可真不差事儿。”战伟讲得很来劲，越说越是露出一副瞧不起我的表情，此时，我正在往脸上打香皂，眯着眼睛看他，现在是下午五点，我才起床，按照预定计划，我今晚要去跟战伟去见见世面。

战伟找到一家地下赌场。

用他的话讲，“刺激，玩儿命，真刀真枪”。

上次他是陪别人去的，兜里没钱，只摸摸门道，过个眼瘾，这次他准备亲自动手，毕竟今时不同往日，他手头宽裕了一些，说话底气十足。

最近厂里把战伟他妈的丧葬费发下来了，总共一万八。

我和战伟是小学同学。

战伟从小就特别淘气，四处捣蛋，心眼儿坏，砸玻璃，堵锁眼，放气门芯儿，偷校办工厂的塑料瓶，没有他不干的，一块滚刀肉，很难收拾。五六年级时，他就学会了“扒眼儿”，上课期间跑到女厕所的隔间里，双手俯地，呈半倒立姿态，脸几乎贴在便池的边缘，大气不出，默默欣赏隔壁厕间里的女老师或者女校工小便，如此得手数次，直至审美疲劳。每次他看完后，都很热衷于跟大家分享，“在那儿蹲一节课，也就能看见两三个”，“别提了，尿崩我一脸，刚洗了半天”，“谁啊？叶老师我看过啊，别看表面溜光水滑的，底下毛儿太多”。

后来这些话传到老师耳朵里，导致战伟被抓了现行。教导主任给他妈打电话，先拨总机，再转分机，最后找人转达，委婉地说让她赶紧把孩子领回家吧，学校里的年轻老师看见他在学校，都不敢来上班了。

战伟他妈，离异十余年，自己带孩子，体格消瘦，一把骨头，头发稀疏，戴眼镜，像温和且营养不良的知识分子，其实个性很强，脾气暴躁，很爱激动。厂里的同事们看她自己带孩子可怜，给她介绍过几个搭伙过日子的，都不成功，过不到一起去，互相老干仗，索性也就不找了，一门心思都放在战伟身上，宠到溺爱的地步，不让他吃一点儿亏。

战伟他妈风尘仆仆地骑着车来到学校，一把推开教导处的门，将绕在头上橘色纱巾摘掉，横着脸问教导主任，我儿子咋的了。教导主任把前因后果一讲，战伟他妈听后，拉起战伟就是两记耳光，然后骂道："不争气的玩意儿！学校里都是镶金边的你不知道？再瞅眼睛都得瞎！"教导主任听出这话不对劲，刚想发怒争辩，却被战伟他妈抢先："老师，这学我家孩子不上了，我带回家自己教育吧。"教导主任说："谢天谢地，求之不得。"

战伟被他妈领回家，从此再也不用上学，我们都很羡慕。他偶尔还来学校里找我们玩，穿着一件极不合身的灰色大毛衣，满脸横肉，剃了光头，鼻涕横流，每天在校门口叼着烟闲逛，说话声音大，笑声也很放肆，好像时刻都想证明，终于没人能管得了他了。

再后来，我们这个年级都毕业了，但战伟没走，还在学校门口横晃，截钱、打架、吃零嘴儿、玩游戏机，以及跟带着比他小很多的人一起看黄色录像，扒裤衩弹鸡子玩儿，太有出息了。

上学时候我跟战伟一点都不熟，关系非常一般，最近这两年走得比较近。

本来我们都好多年没见过面了，差不多在前年夏天时候，他开始创业，跟朋友在我家楼下合伙摆了个烧烤摊，卖羊肉串、腰子和生筋，在两棵大杨树间拉了一条横幅，红底黄字写着四个大字“边喝边唠”，简明直接，的确是战伟的行事风格。

烧烤摊每天傍晚开始营业，人气旺盛，当时我的妻子在外面有人了，每天不回家，我下班后自己也不爱做饭，就去他家喝酒吃烧烤。一来二去,认出彼此,共同追忆往昔，战伟激动万分，一手拎着啤酒，一手搂着我的肩膀，向他的朋友们逐个介绍我，“这我铁子，我俩从小就好，以前一起跟人咣咣干仗”，又笨拙又热情。在我的印象里，即便是小时候，我们好像也从来没有这么亲密过。

后来某天，有人喝多了在烧烤摊闹事，战伟跟人对骂起来，顺手操刀捅过去，又拧了一圈，角度没掌握好，直接伤到脾，被派出所开车带走。这可把战伟他妈愁坏了，四处借钱，也来找过我，我当时正准备跟前妻分家产，看见老太太的样子，内心不忍，从存折里取了三千递过去，假装仗义，说毕竟是从小一起长大的兄弟，老太太感恩戴德，泪洒银行，就差给我磕头了，搞得我还挺难为情。

最终赔给伤者大概几万块钱，战伟还被判一年多的劳教。

可战伟还没出来呢，他妈就先走了。我本来是去战伟家找他妈要钱，敲门敲不开，才听说老太太没了，邻居们七嘴八舌，“刚过六十吧也就，说她八十也有人信”，“走的时候皮包骨头，心血耗干了”，“为这个败家儿子操碎了心”。

我心说，完了完了，这下子我的三千块钱可算是瞎了。

半年之后，战伟出来了，居然比进去的时候更黑、更胖，窝窝囊囊，说话直喘大气。

出来后，他头一个就来找我："你真讲究，我在里面的时候，我妈把借钱的事跟我说了。说实在的，没想到你能这么敞亮。我小心眼了。你的真心，兄弟记一辈子。"

"大伟，咱不是哥们么，互相帮忙，理所应当。"我说。

"你放心，这钱我肯定能还上，我妈的丧葬费过两天就要下来了。"大伟把自己塞进我家破沙发里，信誓旦旦地向我打包票。

我看看战伟，又低头看看自己。我俩今年都已三十六岁，一个是刚释放出来的劳教人员，胡子拉碴，定期还要去派出所报到；一个是刚离婚的下岗工人，家徒四壁，目前没有任何谋生渠道。俩人现在兜里的钱加一起，估计都不到一百五。

这些年到底怎么混的呢，我琢磨不明白了。

秋去冬至，战伟来我家的频率越来越高，每周几乎有三四个夜晚是在我家里度过，天气渐冷，他来我家主要是想蹭暖气。战伟他妈给他留下来的房子没交采暖费，按照他的说法，"家里人气不旺，即便有暖气，屋里也暖和不起来"。

我说，"大伟，差不多就把你妈埋了得了，骨灰总不能一直放屋里供着吧。”

战伟颇为不屑地说，“你啊，啥也不懂，骨灰在那儿，就是我妈跟我一块儿过呢。你啊，就是缺少人情味儿。”

我说，“行，你有，那你咋不给你妈交点采暖费呢。骨灰也知道冷啊。”

战伟说，“不爱跟你唠嗑，你们这些下岗工人就是事儿多。强词夺理。大胆刁民。”

我从前作息规律，上班下班，雷打不动，月月都拿全勤奖；如今下岗半年，从前的好习惯全还回去，没找到合适的工作，处于坐吃山空状态，靠单位买断工龄给的钱过日子，过一天少一天，提不起精神。我都想好了，要是哪天实在过不下去了，就把这老房子一卖，还能混个几年吃喝。

春节连对联都省了，我家的门上只贴了一个福字，福字也不是我买的，是附近超市挨家派发夹在门缝里的，背面是春节期间超市商品的打折广告。

战伟发现了，指着鼻子笑话我，“这玩意贴门上，你糊弄鬼呢。这是打折单儿啊，你过得咋这么凑合呢。”

我不觉得啊，下岗之后，我感觉整个人生也打折了，三五折处理。我们很搭。

战伟几折？比我还穷，还接受过劳动教养，我看顶多二五折。

我俩加一起，可能勉强及格？

大年三十，我去给爸妈拜年，拎了一只烧鸡和两瓶白酒，说是给我爸买的，结果自己喝了将近一瓶，拆了个鸡大腿啃，然后一头栽在床上就睡着了，太狼狈了，电视里的小品和外面的鞭炮声都没叫醒我，错过了我最喜欢的潘长江。

年夜饺子我爸都给吃了，一兜儿肉馅的，包多少吃多少，一个也没给我留。

我知道他生我气呢，大孙子都让人带走了。

我有什么办法？我愿意这样？

再说回来，你那么大岁数了，还那么馋，半夜还吃那么多，对身体好不好另说，你有个爷爷样么？也得反省反省。

大年初一，亲戚朋友全来给我爸妈拜年，提着葡萄酒、饮料、干果、成箱的砂糖橘……我老婆孩子工作全没了，很怕被大家问，更怕被大家同情，就找个借口回到自己家去了，楼下的租碟屋没关门，我租了一堆港台枪战片，连轴儿看。

里面的男主角在濒死之际，对另一个男主角说："你终于可以丢下我这个包袱了。"我把大被一蒙，睡得昏天黑地。

一晃就到了大年初五，战伟来了。

他一顿猛敲门，棚顶的灰都要震下来了，我才从床上爬起来，之后洗漱、刮脸，抹布蘸水，蹭了几下皮鞋，又抓了一把从爸妈家偷回来的美国大杏仁，跟战伟一起出了门。边嚼大杏仁我边琢磨，过年了，我也得补补啊，本来就没钱，营养别再跟不上。

我俩在寒风里等公交车，他冻得直跺脚，哆哆嗦嗦地问我："你带多少出来？"

我很紧张，连忙躲到一边说："就一小把，马上吃没了。"

战伟骂我："你是不是缺心眼？我问你带了多少钱出来。"

我这才反应过来，然后有些难为情地说："春节从卡里取了点，本来想给我妈花点，结果也没买啥，现在可能兜里还有不到两千吧。"

"这钱我准备至少得过完下个月，"我补充道，"你呢？"

"两千太少了，不够玩的都。我妈给我留的一万八，今儿我全带了，"战伟信心满满地拍着自己的腰包说，"放心，我也是看形势，不能全押那儿，得还你钱呢。"

"咱们主要是娱乐，"战伟继续为自己解释，"顺道儿，顺道儿发个家。"

我说："我操，你疯了吧？日子不过了？"

战伟信心满满地对我说："你啊，在工厂上班时间太长，脑子锈死了，社会上的事你不懂。有没有听过那句话：搏一搏，单车变摩托；赌一赌，摩托变吉普。年前我找人算过了，我苦到头了，触底反弹你懂不懂？今天破五，辞旧迎新，从今往后，兄弟天天开吉普。到时候可以让你坐副驾驶。”

从公交车上跳下来，战伟在前面带路，我在后面跟着，路过一家食杂店，他指使我说：“去，买两盒玉溪。一会儿有用。”我有点舍不得钱，很不情愿地买回来两盒，跟着战伟拐来拐去，又来到一条繁华的小路上，路两旁有不少店铺，饭馆、理发店、小超市、足疗、成人保健、古董铺子等一应俱全，由于过节的原因，很多家没有开门，显得有些冷清。

战伟一路上走得异常兴奋，蹦蹦跳跳，跟他的年龄极不相符，显得很不理性。

我们来到一副蓝色棉门帘前，他跟我使个眼色，意思是说，你看，就这儿了。

我抬头一看，招牌上写的是“通天网苑”。

虽是春节期间，但网吧仍聚集着很多青少年，多数在玩电子游戏，三五成群，互相指挥、谩骂、埋怨，屏幕上花里胡哨，小人儿拿着枪跳来跳去，我完全看不明白。可能真像战伟说的，我脑子生锈，跟社会脱节了。

战伟径直走向网吧的最后一排，一个四十多岁的中年人聚精会神地坐在电脑前，正在噼里啪啦地打字，边打字还边笑。

战伟从我兜里摸出一盒玉溪，直接扔在桌子，一言不发，手指叩击桌面几下，嗒嗒，嗒嗒嗒嗒，嗒嗒。

敲开天堂之门。

中年人的眼睛这才从电脑屏幕前移开，盯住我们看几秒，把烟揣进里怀，起身扭头往后面走。我们连忙跟上去，跟着他转过肮脏的卫生间，下了半截楼梯，来到一个黑铁门前，中年人从怀里吃力地掏出对讲机，一阵腋窝的味道传出来，他低声说道："俩宝。"

是黑话还是在骂我们呢？我一时没闹明白。

然后从裤裆里掏出一串钥匙，将外面的黑铁门打开，之后的一层木头门则被人从里面打开，瞬间，一阵浓烈呛人的烟雾涌了出来。

战伟所说的大场面，并不如想象中的那般豪华、壮丽，跟电影里看过的公海赌船什么的相比，简直是天壤之别。它看起来更像一个寒酸的游戏厅，陈旧衰败，散发出一点腐朽的味道，但里面的人却是生机勃勃，全情投入，跃跃欲试地想要打败机器，一般这种情况，结局无非是人脑袋输成狗脑袋。

赌场的整体面积跟上面网吧接近，几十人在其中穿梭，来来往往，左墙摆着一排扑克机，中间摆着是拍鱼的，这两样我认识。旁边是凌乱的牌桌，有圆形也有长条的，每桌人数不等，有的摆了筹码，有的直接上钱，总之几百平米的空间，完全没有浪费，满满当当的全是各类赌局，空间利用很合理，看起来有高手规划过。

战伟抑制不住自己的兴奋，主动跟看着眼熟的工作人员打招呼，然后指着前方墙上的液晶电视说，“看见没，太先进了。接的是大锅盖，转播国外联赛，直接下注赌球，比赛完了就直接开，霸道，专业。你不是爱看球吗，去下点儿呗。”

听人劝，吃饱饭。我走过去看看情况，一个穿着长筒靴的姑娘负责帮忙下注，我问她今天都有哪几场比赛可以赌，她说今晚就一场，结果这俩球队的名字我都没听说过。我问最少下注多少，她说五百起，买胜负平，也可以猜比分，你先看看赔率；我掏出一千说，跟她说，不看了，买名字长的队赢。她收好款，打出来个小票，盖戳后返给我。

我顺手揣在裤兜里，忽然觉得这一千元变得好轻，甚至感觉不到它的存在。

扭头一看，战伟已经玩上骰子了，猜点数，两百一把，赢了能返四百，直接往桌子拍钱，他已经连输了好几把，但面不改色，像个经验老到的赌鬼，胳膊肘底下压了一叠百元钞票，甚至安慰我说：“预热，预热，这是准备活动；清清霉运，等点子来了，我就换大场。都是经验，你学着点儿。”说完还跟旁边人心领神会地点头互动示意。

我心想谁能管得了你啊，别把我那三千块钱输进去就行。

晚上八点，黄金时间，赌场里的人逐渐增多，我来来回回地转了好几圈，发现这里大部分的赌博游戏，我连规则都搞不明白，于是便站在后面看别人玩扑克机。有个花白头发的哥们，穿着西裤，每隔七八分钟就喊老板“上分”，我还没看明白门道，他就又输光了。

这点子也太背了，我正想着，结果他一扭头，我俩对视十秒，我才反应过来，这不李林么，外号智慧林。

李林，小学同学加老邻居，高才生，聪明，猴儿精，爱搞对象，但从不耽误学习，考上北京的大学，还读了研究生，毕业顺理成章留在首都上班了，当年筒子楼里的先知，一代人的励志偶像。谁家姑娘要是跟他早恋，家里人反对得都不是那么强烈。

所以啊，李林的人生不打折。

他也认出我来，惊讶地拍着我的肩膀说：“哥们，怎么是你啊？”

“是啊，智慧林，多少年没见了，在这儿碰上。”

“过年在家没意思，来这边玩玩，你常来？”

“哪啊，我这是第一次来，咱班的战伟带我来的。”

“咱班的谁？”

“战伟，你忘啦，就后来被开除的那个黑胖子，总爱扒眼儿。”

李林好像还是没有想起来，在一旁的战伟看见我们寒暄，连忙跑过来，使劲揉着自己的小眼睛，嗓门巨大地说了一句：“我没认错吧，这不是智慧林吗？你这头发咋还白了呢，学习学的吧！过年好啊！”

李林还是懵的，死活也想不起来这位称呼如此亲密之人到底是谁，但也没忘回一句：“过年好！过年好！”

是啊，谁不希望谁好呢，毕竟是过年了。

三位在六岁时初次认识的、现在需要重新认识的，三十六岁的中年男人，站在地下赌场里中央，互相敬烟。李林抽黄鹤楼，战伟跟着蹭了两根，夹在耳朵后面，嘿嘿地搂着李林的肩膀傻笑。

我提议说：“咱们一起玩点什么吧，别白来。”

李林说：“今天手气太次，拍半天扑克机就没赢过。等下梭两把哈，不行的话就先回家睡觉了。”

战伟连忙说：“别呀，好容易出来玩一次，得尽兴。”

为了显示自己的时髦与幽默，他故意模拟港台腔，把“尽兴”两个字的发音改成“Gin Hing”，并且同时向空中挥了两下拳头。

“说得也是。现在咱这边最流行玩啥？”李林问。

战伟想了想，说道："你脑袋快，咱们去玩个技术含量的。车马炮，你会不会？"

李林说："会！北京不兴这个，憋死我了，咱们炮两把去。"

我剩下的钱不多了，车马炮我也打不好，便在一旁观战伺候局儿。

战伟，李林，还有一个赵大明，我听别人管他叫赵队，据说是分局的，也是赌场常客，他们三人主战；一个年轻的黄毛做闲手跟家。

车马炮规则很奇怪，以象棋子为名号，却要用扑克牌来打。五十四张扑克，只挑出三十张来。3 和 4 最小，分别为兵、卒；10、9、8 三张牌，对应的是车、马、炮；Q 是相，K 是士，小王和大王分别为将、帅。三人各自抓十张牌，单张将帅大于相士，相士大于车马炮，兵卒最小，对子、三对、四对同理。红色大于黑色，红黑桃子大于方片、草花。四对算一炸，加番。

具体出牌时，有点像斗地主，两家掐一家。顺时针出牌，有能管住上家的，就压上；管不上的，必须要反扣相同数量的牌，算作弃牌。每轮过后，最大的占圈牌摆在自己前面，其他的全反扣过去，最终计算谁在明面上的牌最多。

车马炮的精髓在于两个字：算计。算，根据手里的牌和已出过的牌，来推算扣什么牌，手里留什么牌；计，计谋策略，先出单还是双，根据手里的牌，以及对家、本家的反应做全局规划，想要打好，技术成分有，运气同样也是不可或缺的。

车马炮玩起来颇费心机，而赌车马炮的，往往会玩得很大，每把根据剩余牌数记分，一般情况是每张牌一百，一轮输进去三五百很正常。更要命的是，因为只有三十张牌，所以每一轮进行得都很快；以及，庄家可以翻倍筹码，每张牌顶到五百八百的都有，只要下家敢接，这轮牌就不走空。

刚开始的时候，赵大明总在坐庄，大手握牌，慢慢捻开，面无表情，相当沉稳。

战伟和李林二人打赵大明一家，有来有往，但两人的配合越来越默契，一个小时不到，赵大明输了三十多张，里面还有几个翻倍的，换算过来的话，差不多得五六千块。黄毛跟注赵大明，也输了有两千，退出不战。

赵大明有点撑不住，眉头紧皱，烟不离手。战伟喜形于色，嘴巴也不闲着，总在跟李林说自己上一轮出牌有多么聪明，扣下的牌又是多么精准，滴水不漏。

李林明显听得很厌烦，又不好表现出来。可战伟能有多聪明啊，几轮下来，他那点出牌的习惯、伎俩，什么出单不出双，洗洗更健康，全被李林和赵大明听去了。

我把另一盒玉溪扔在桌上，在一旁捅咕战伟，低声说：

“少说两句，打牌那么多废话。”

战伟还不乐意了，跟我说，“不玩的别插嘴，懂不懂规矩，看你的球去。”

好坏都听不出来，我看他今晚要完蛋。

又过一个多小时，局势开始有明显变化。赵大明不再狂冲猛突，将庄家的位置让出，往往是李林一打俩，单挑赵大明和战伟。

战伟对新形势不适应，越打越忙乱，出牌明显开始犹豫，赵大明还在不停抽烟，我的另一盒玉溪也要被他抽光了。李林则愈战越勇，游刃有余，牌面上来看，他赢得最多。赵大明还在输，战伟把赢来的都还回去了。

临近午夜的时候，局势又有新变化，观战者都看得出来，战伟跟李林开始较起劲来。纯是闲的。

两人轮流坐庄，轮流翻倍，一个只要叫，另一个立马跟上，气势上谁也不服谁。此时，赵大明已经捞回本来，稳中有赚，退居二线，静观虎斗。有几次他似乎想劝住战伟，但伸出去的手又收回来。

战伟有点杀红眼了。

他脾气急，而且现在越输越多，我暗自算了算他的积分，带来的钱可能已经不够了。三个人的牌局，就他自己输，等下结束时不知道要怎么收场。

凌晨时，赌场里的人走了大半，留下一地烟头，气温越来越低。我赌的那场球终于鸣哨开赛，但寒冷使我开始犯困，睁不开眼睛，坐在椅子上，身子直往下出溜。

每张牌已经叫到八百。我迷迷糊糊地想，两张牌，顶我以前一个月的工资了。这种地方真是不能再来，到处都是陷阱。掉下去了，谁都拉不上来。至于怎么掉下去的，没人能说得清楚，就好像人生之路，不管怎么小心，走着走着就一定会塌掉的。

赌到后来，心理素质很重要。李林披上风衣，运筹帷幄，潇洒，有气度，输赢脸不变色；战伟冻得浑身哆嗦，气都喘不匀了，面部表情僵硬，明显是要吃不消。

我问桌上的几位，啥时候结束啊，太困了，赶紧撤吧，做个足疗回家睡觉了。

战伟半转过来身体，绝望地看了我一眼，他衣服上的史努比被扭曲的身体搞得变了形，看起来十分狰狞，脸分成三道，如被毁容一般。愤怒的美国大明星。

赵大明抽着我的玉溪，对我说，兄弟爱做足疗啊，那我有地方。我说，花钱不。他说，净开玩笑，现在干啥不花钱。我说，你抽我烟就没花钱啊。赵大明抬眼看了看我，问我这话啥意思呢。我说，啥意思都没有，你抽完我再给你买，行不。

牌局还在继续，战伟靠着最后的一口气硬撑着，不出牌时，大手拄在我的膝盖上，冰凉，微微发抖。我看他是快到头了，要绷不住了。大伟啊，大伟。

我心里胡乱地盘算着：今天破五，破五的饺子还没吃上，明天初六，然后是初七，初七大家就都上班了吧？过完年再上班，就要开春了，一天比一天暖和。真好，天气一暖，人就不会哆嗦了。

战伟真的坐不稳了，他妈的丧葬费即将双手奉上给儿时同窗。

但他还在赌，瞪大了双眼，每张牌叫到一千五，他立着眼睛还想往上翻。

李林当然早就看明白状况，笑着说："大伟，差不多行了。大过年的，咱们主要是玩，消磨时间。"

战伟急了，抖着嗓门说："没玩完呢，你今天想不想回去？想走的话，这轮就二千。"

李林说："大伟，你这样真的很没意思了。"

赵大明扔了牌，又点根烟，说，这一轮，还是你们哥俩斗。

战伟出牌，李林打出两张，战伟全部压住。战伟十分激动，情绪难以抑制，出牌时甚至要跳起脚来，用力地将扑克牌甩在桌子上，让人很担心要把桌子砸出裂缝来。

这清脆果断的声音，也好像扇在李林的脸上。

李林说："行啊，还来劲了。那咱们来吧。"

这一轮，以及之后的三轮，李林一直在输，牌码都是两千一张。

战伟捞回来了。

来之前他是怎么说的来着，对，触底反弹。

我们从地下赌场里出来的时候，已经是大年初六了，凌晨四点，天降小雪，李林揉揉眼睛，掏出明晃晃的车钥匙朝着我们摆手，说道："不送你们哥俩了，我先回家，今天很Gin Hing！有机会来北京找我。拜拜了。照顾好大伟。"

李林说完便开车离去，只剩下我扶着战伟，战伟的身体还在突突发抖，站不利索，上下牙关紧咬着，面色铁青，嘴里发出呜呜的声音，好像随时可能抽过去。显然，他还是没能从刚刚紧张的局势里面缓过来。

我们走在枯黄的路灯下，雪花洒落在鞋面上，棱角鲜明，显得非常立体。我挎着他的胳膊，缓缓前进，每一步迈得都很艰难，他的身体越来越重，而且在不停地往下坠，我搀扶得相当吃力。

走到小路口时，他一下子倒在地上，喘着粗气，死活扶不起来。空空荡荡的清晨街道，一切尚未苏醒，战伟跪在路中央，哇的一声大哭出来，十分突然。凄厉而浑浊的哭声撕破街巷，微弱的路灯光芒混合着晨曦，共同附着在他的身上，在那一瞬间，他看起来甚至具备了一些神性，他离升天成仙，仿佛只欠这一跪。

战伟双手高举，裤裆紧绷，仰面长叹："妈！啊——妈你看见了么！妈！大伟我也有今天！我把学习最好的李林给赢了！妈！我没辜负你啊——没辜负你！啊——"

他反反复复地说这几句，之后便继续雷鸣般的号啕，但只闻声音不见有泪，哭声听起来惨痛、虚假，并且令人恐惧。我甚至能感受到来自他胸腔里的强烈震颤，嗡嗡不已，像一台即将报废的机器，遍布锈屑，松散、变形而失衡。

我把他丢在原处，自顾自接着往前走，哭声仍在持续，我心里只想着两件事：

一是，大伟啊大伟，正如李林所说，你可真够没意思的。你妈都没了，还演这一出，到底要给谁看呢。

二是，那个名字很长的球队，最后到底赢了没有。

枪墓

一

肖雯给我打电话时，刚过中午十二点，出版社的午休时间，她没下楼吃饭，而是往上走两层楼梯，在一条陌生的走廊里跟我通话。她先是告诉我，面前的窗户关不严，凉风直往她脖子里钻，又说，此时此刻，脚边有一盆君子兰，估计已被遗弃，肥厚的叶片上散满烟灰，她准备抱回办公室，用湿抹布擦一擦，自己养起来，最后说道，房子已经租好，立水桥南，八十五平米，两室两厅，屋内装饰极少，南北通透，采光很好，一个月五千五，押一付三，不含水电。我还没睡醒，停顿了几秒，想起来龙去脉之后，对她说，很有行动力。肖雯说，别废话，你抓紧起床，晚上带你去看房子，王沛东也去，到时你别乱讲话。

我洗了把脸，抽了两根烟，打开电脑，看了几篇社会新闻，然后又倒在床上，想继续睡会儿，但却怎么也睡不着。枕边有一本《遥远的星辰》，上次跟刘柳去书店时买的，她当时推荐说，这个人写得好，她最近非常喜欢，南美瘦人，波拉尼奥。我说，什么尿？刘柳有点生气。我说我是真没听清。刘柳说，波拉尼奥，智利作家，蹲过监狱，后来流亡海外，四十岁开始写小说，他的全部写作都是献给那一代人的情书或告别信。我说，代笔呗，那跟我基本属于同行。刘柳说，滚蛋吧你，我走了。我连忙哄她说，开玩笑呢，我买一本，回家研究一下。

我躺在床上，翻开《遥远的星辰》，开篇讲的是大学里的两姐妹，跟诗社里的英俊青年交上了朋友，所有人的名字都比较长，同一个人好像还拥有不同的名字，我读得有点累，便起身去厨房烧了壶水，期间无事可做，便立在一旁，想象着自来水的升温过程，直至壶内沸腾乱响，水汽冲出来，我赶紧拿出玻璃杯，里面放几片干燥的茶叶，又倒入热水，杯中的叶片逐渐舒展，以一种奇异的姿态。

肖雯和王沛东在地铁口等我，我刚一出来就看见他们了，两人都很高，所以比较显眼。我假装没看见，低头对着手机一通乱按，直到听见肖雯喊我的名字，才又抬起头，朝着他们挥挥手，然后走过去会合。

王沛东有一米八多，肖雯也将近一米七，我穿上鞋的话，一米六五，也比较瘦，他们俩一左一右，我夹在中间很有压力，从后面看，颇像是他们俩的孩子，这让我觉得尤为不适。迈开几步后，我便刻意跟他们保持一定距离，肖雯吃力地探着脑袋跟我说话，问我书稿的进展情况，我说，还可以，有三四万字了，能按时交。其实我一个字儿也没写呢。

王沛东本来说要吃涮羊肉，去他在几年前吃过的饭馆，据说麻酱小料是一绝，味道醇厚，回味无穷，结果快走到时才发现，那家店已经拆了，只好去吃旁边的家常菜馆。虽然正是晚饭时间，但里面却没什么人，落座之后，王沛东举着菜谱问服务员，你家是什么菜系？服务员说，啥菜都有。王沛东又问，有什么特色？服务员说，看你想吃啥。王沛东说，我们这里有位东北朋友。我连忙说，我吃啥都行，不用特意照顾我，别太辣就行。服务员说，东北菜，有，萝卜丸子汤，炸茄盒，大拌菜。王沛东说，行，就这三个菜，另外再来一瓶白牛二。

菜端上来之后，王沛东先给自己倒一杯，然后问我，你喝点不。我说，喝不了酒，过敏。王沛东颤巍巍地举着满杯白酒，我和肖雯举着饮料，三人碰杯，王沛东说，祝你们的事业一帆风顺。我说，谢谢，借你吉言。王沛东说，你上次给出版社写的，讲民国时期的名人爱情，那本我看了。我说，我都不知道已经出版了。王沛东说，故事虽然有点老套，不过你的文笔不错。我说，都是别的书里扒下来的，我就是换几个句子，重新改写一遍，也有的是我自己瞎编的，不要当真。王沛东说，有点才华，能看出来。我说，攒的稿子，不值一提。

肖雯胃口极好，大概是中午没吃饭的缘故。白酒还剩下小半瓶时，菜便已经吃光了，王沛东眼神发直，肖雯去前台结账，我上了个厕所，回来时发现服务员正在收拾桌子，两人都不见了，我犹豫着走出去，发现他们正在路灯下等我，王沛东抽着烟，我也点了一根，肖雯带路，我们向着无光的前方走去。

两侧都是平房，生锈的铁架横摆在地上，偶尔有骑电动车的从身边经过，悄无声息，王沛东搂着肖雯走在前面，我走在他们身后，盯着肖雯的屁股，被牛仔裤紧紧包裹，来回扭动，又性感又可笑，看了一会儿，眼睛发花，许多光斑在眼前飞舞。王沛东说话声音很大，酒后的山东口音，更加难以辨认，走着走着，他忽然回头，斜着脑袋，望着我发笑，然后又瞟了一眼肖雯，说道，原来你才二十五啊。我说，对，虚岁二十六了。王沛东说，真年轻啊，我比你大一轮，在东北，你管我得叫啥。我说，叫王沛东。王沛东说，不可能。我说，那你说叫啥。王沛东想了想说，反正你说的不对。

肖雯带着我们走进小区，门口原本是景观设施，有喷泉和水池，可惜由于天气渐冷，怕被冻住，所以水都被抽掉，只剩下一道水泥壕沟，看着还比较深。四面都是高楼，且少有人住，没几户是亮着灯的，我们在里面转了两圈，又给房东打了个电话，才确认我们所租住的那幢楼。走入电梯后，灯泡一直在闪，像恐怖片里的场景，王沛东靠在角落里，问我怕不怕鬼，我说不怕，我问他怕不怕，他说怕，怕鬼也怕黑,但喝完酒,就什么都不怕了。我们上到十二楼，出了电梯左转进入二单元，肖雯掏出钥匙，拧开最里面那间的房门。

屋内装修的味道还未散尽，闻着头疼，阳台上摆着一套塑料桌椅，窗户半敞着，王沛东坐在椅子上，望向窗外，又抽起烟来。肖雯带我看房间的格局，介绍道，这是主卧，以后在这里谈工作，这是次卧，样书、资料和打印机放在这里，这是客厅，以后你们办公主要在这里，这是洗手间，干啥的不用我说了吧。我说，你也能干房产中介。肖雯白了我一眼，说，我看了很多房子，就这个比较合适，没有多余家具，周围也比较安静，适合攒稿。我说，我能住这里吗。肖雯继续说,美中不足的是,这个厕所是花玻璃拉门，没有锁,外面看着朦胧,以后有女员工的话,可能不太方便。然后又补充说，全凭自觉吧，我再找房东商量商量，争取给换个门。我说，不用换，这种就挺好，脱完裤子，外面能看见虚影儿，白花花的一片，有冲击力，刺激创作。

我坐在次卧的窗台上，肖雯坐在桌子上，跟我说，明天去办宽带，然后配电脑，你写个公司简介和招聘启事。

我说，这就要开始了。肖雯说，对，写得恳切一些，体现出求贤若渴的感觉。我说，员工什么待遇。她说，正要跟你研究，我想的是，底薪一千八，按工作量绩效，当然也得考虑稿件的操作难度与做出来的质量。我说，这个比较复杂，需要摸索。肖雯说，是，你也做一个大致的方案。我说，现在咱们手里总共几个项目。肖雯说，三本书吧，你在写的这本，还有一本段子里的简明中国史，模仿余世存的笔法，另外还有一本历史人物传记，另类读史，这个社里可以签版税，卖好了兴许能赚。我说，这次写哪个历史人物。肖雯说，张居正，大明首辅。我说，不太熟悉，就知道他的一条鞭法。肖雯说,不难,你肯定有办法。我说，尽力而为。

外面传来王沛东的呼噜声，曲里拐弯，声音很大，我跟肖雯相视无言，屋内灯光幽暗，我从窗台轻轻跳下来，俯下身子，伸手去握她的脚踝，踝骨很硬，皮肤冰凉。她一边警惕地回着头，一边抬腿将我踹开，力道很足，咬紧牙小声说道，你他妈要疯是咋的，几次了都。我没有说话，被她一骂，也有点泄气。她从桌子上下来，走回客厅里，我跟在她身后，王沛东仰倒在塑料椅子上，手臂下垂，姿态难看，睡得极熟。我又问一遍，我以后能住在这里吗。肖雯说，不行，这是办公室。我说，那我以后能加班吗。肖雯说，那可以。我说，那我能每天都通宵加班吗。肖雯没有说话，从壁柜里拿出一柄绿色的扫帚，递给我说，这几天一直开着窗户，进了不少灰，从里到外，好好打扫一遍。

第二天早上，我躺在床上给刘柳发信息说，我的公司马上开张了，在立水桥，环境优雅，风光秀丽，周边设施完备，随时来玩。直到下午，刘柳才回我消息，总共就三个字，恭喜你。我觉得有些失望，便在床上继续翻波拉尼奥的那本小说，又看了十几页，接到肖雯的电话，问我是不是干过编剧。我说，干过一阵子，但是。肖雯不等我把话讲完，便说道，那我帮你把这个活儿接了，价格不错，不妨一试，现在做出版利润不是很高，但影视行业不错，我们也要多条腿走路。我说,还没开业,就要转型。肖雯说，少废话。我问，到底是什么题材呢。肖雯说，也是历史剧，王阳明的故事。我说，这个真不懂，心学，深了。肖雯说，你就按照历史小说的套路写，查查资料，通过更好，通不过也没啥损失。我刚想拒绝，肖雯却已经将电话挂掉，我再拨回去，她也没接。

在此之前，我确实做过一段时间的编剧，事实上，编剧还是我的本职专业。刘柳以前就总问我，你这文凭到底是真的吗。我说，千真万确，全日制本科，教育部认可，音乐学院，戏剧影视文学专业，比较稀少，总共就两届，我是第二届，再往下就招不到人了，统招调剂的也都不来，直接回去复读了。刘柳拍拍我，说道，对你们表示同情。我劝她说，其实也还好，还有个什么经纪专业，我入学那年刚创立的，说是练习眼神儿的，毕业后能当星探，结果就只有这么一届。刘柳问，那他们都当星探了么？我说，当个屁，都在活动策划公司上班，负责搞路演，卖洗衣粉，联系野模，充话费送豆油。

刚毕业时，我揣着这张文凭四处面试，总是碰壁，甚至有的公司负责人见我是音乐学院毕业的，让我当场唱一首歌，我还以为是什么性格测试，虽然五音不全，但想了想，还是鼓起勇气，在他的办公室里唱了一首齐秦的《大约在冬季》，比较难听，中间还忘词了，他提醒了我两次，我勉强唱完，他听后点了点头，客气地将我送出门，从此再无联系。

毕业之后，我一直没有回家，在外面租房住，大概过了三四个月，基本弹尽粮绝。也是在这个时候，政府颁布一项政策，要建设动漫产业基地，投入资金，扶持行业发展，霎时间，新公司如雨后春笋，各方面人才紧缺，于是我在动漫公司找到了第一份工作，负责给动画片写脚本。老板姓张，我叫他张总，他摆摆手，说，叫老师就行，张老师。入职之后，我问他，张老师，我们要做一部什么题材的动画片。张老师说，按照我的设想，应该是有正派和反派，他们之间有不间断的斗争。我说，明白。张老师说，要一集讲一个故事，不需要有太强的连续性，每集都要解决一个问题。我说，明白。张老师说，还要体现出团队力量，一个主角，带着几个性格各异的配角，共同克服弱点，排除万难，通力合作，对抗敌人。我说，明白。张老师说，还要插上想象的翅膀，小孩儿嘛，就喜欢幻想故事。我说，明白，张老师，我们是要拍《西游记》吧。

公司的办公地点本来说是在二十一世纪大厦，但由于里面租金较贵，张老师只租了很小一间，用来注册。事实上，公司里的大部分员工，都在姚千地区的一套农家院里工作。姚千，全名姚千户屯镇，距离沈阳市区三十公里，往返有长途，农家院是张老师亲戚家的，门口有一条年迈的狼狗，没精打采，毫无攻击性，平时都不栓链子，张老师的亲戚每天负责照顾我们的起居，非常仔细，无微不至，按照张老师的意思，这样就可以方便我们将全部身心投入到创作之中，抓准时间节点，争取一天出一集。张老师每周会来开一次会，查看进度，验收工作，晚上再喝一顿大酒，坐在炕上跟大家畅想未来，像一位返乡的亲戚，功成名就，为我们带来城市里最新的变迁。

我在姚千待了十几天，就有点坐不住，趁着午饭时间，总拉着同事出去转悠，这个地方比较野，人少风大，杂草疯长，空房无数，满地烧废的玉米秆，像微小的新冢，纸钱纷纷，全部渗在泥里。旁边还有一片荒废的别墅区，始建于二十年前，碎玻璃满地，绳索电线缠绕，白天房间里摆太阳能唱佛机，循环播放《大悲咒》，晚上四处有鬼叫，无论何时，走在路上都提心吊胆。

我在南屋工作，睡在北屋，卧室紧邻精密仪表厂，已经废置多年，厂区的围墙上还扎着玻璃片，看着相当锋利。开始几天，我睡到半夜总会醒来，恍惚间听到仪表厂里有枪响，而且不止一声，还有人在喊，在奔跑，像是在打仗，场面混乱，而某一瞬间，又全部安静下来，这些声音令我十分恐惧，难以入眠。第二天中午，阳光猛烈，饭后，我走到仪表厂门口，发现大门仍旧紧闭，锈迹斑斑，没有生命活动的迹象，透过门缝往里看，也只是一片无尽的杂草，绿意汹涌，与乱石和狭长的苍穹结合在一起，回忆昨夜的声音，宛如一幅幻景。

有一次，张老师喝多了酒，跟我们说，我们这个动画做完之后，肯定会大获成功，风靡全世界，到时候，我们要转型实体产业，在这边建一座大型魔幻乐园，比肩迪士尼，以西游记为主题，九九八十一难，门口就是一座火焰山，真烧，二十四小时点火，模仿奥运会，操你妈的；然后还能让你家孩子飞，迪士尼让他飞十米，我他妈让你家孩子飞上去二十米，三十米，四十米，我操你妈的，你们说，有意思不。我们没人说话。

我在姚千待了将近两个月，写了三十集的内容，车轱辘话儿来回讲，每天脑袋里都是小动物干仗，濒临崩溃，但动画组那边,连一分钟还没做出来,举步维艰。这样一来，我的时间变得较为宽裕，正好在网上看见有人招募图书写手，稿费还可以，千字六十，但要得比较急，因为是要追一本畅销书，我发去邮件联系，按照给过来的资料，熬了一个星期，将初稿做完，对方看过后表示满意，打来电话，沟通细节修改，这我才知道是对方一位女编辑，名叫肖雯，在南方一个出版社的北京分社上班，之后她又发给我一部书稿，是要写袁世凯，这个人物我比较熟悉，从前看过不少资料，也有一些自己的想法和见解，顺利完成之后，她把两部书稿的款项一并打来，又问我目前从事哪一行。我说，编剧行业吧。她说，好做吗。我说，不太好做。她说，那不如来北京，我们一起成立工作室，做好稿子卖给出版社，买断也行，签版税也行，我这边都有资源。我没有立即答应，挂掉电话之后，想了两天，之后准备拖着箱子离开这里，因为没签合同，也不想惊动其他同事，所以我是半夜走的，按照预计行程，我沿着丹霍线步行，在天亮时，正好能赶到汽车站，然后坐第一趟车回到市内，从而逃离姚千，稍晚一点也没关系，车有的是。当天半夜，我悄悄出门，走出一段距离后，便听见身后又传来几声枪响，这次也像是孤零零的鞭炮声，我索性坐在地上，面朝着仪表厂的方向，风很大，天空沉寂而高阔，我仿佛置身荒原，在等待着冲天的火光，但在远处，却往往只是一闪，便又迅速消逝，只剩下如谜的黑暗。

二

我查了半天王阳明的生平资料，还是理不出头绪，他的人生经历不算曲折，故事性不强，亮点全在于思想，比较难写，正在发愁时，收到刘柳的信息，问我晚上有没有空，我回消息说，是不是要来看我的办公室，欢迎。刘柳说，没有兴趣，说如果有空的话，可以去陪她去看一场地下演出，顺便喝杯酒。我说，我对演出也没有兴趣。刘柳说，机会难得，不来别后悔。我想了想，斜挎着背包出了门。

刘柳原籍齐齐哈尔，在秦皇岛的海边长大，我跟她是在网上认识的，当时我还没毕业，假期比较有空，乱写过几个短篇小说，贴在某个网站上，讲的都是发生在北方的故事。第一篇讲的是一位出租车司机，外号老顽童，开白班，驾龄较长，经验丰富，人缘也不错，还是某电台的路况报道员，忽然某天，在毫无征兆的情况之下，连人带车一起失踪，全城热心司机都在帮忙，发起寻找老顽童的行动，每天挂着手台来回呼喊，不放过任何蛛丝马迹，行动负责人二十四小时开机，分析线索，逐步排查，失踪一周之后，车在内蒙古找到了，已被焚毁，面目全非，最后是通过发动机编号确认的，紧接着，人也找到了，在附近的一口枯井里，已经死亡多时，被荒草和积雪覆盖，面颈有多处利器袭击伤痕，案子到最后也没有破，所有人都非常失落。第二篇讲的是一对夫妻，都是变压器厂的，女的看库房，男的开叉车，双职工家庭，有个十几岁的儿子，在读初中，两口子感情很好，很少吵架，总是结伴上下班，对同事也很礼貌，乐于帮忙，生活虽清苦，但也令人羡慕，有一天，他们的儿子提前放学回家，看见父母一个躺在床上，一个瘫在沙发上，神情怪异，餐桌上摆着几支空针管，儿子吓得冷汗直流，拿起电话想联络亲戚，其父神志不清，误以为他要报警，上去将电话夺过来，双方一阵厮打，最后，夫妻二人合力，将亲生的儿子勒死，第二天还给老师打去电话请病假，近一周过后，实在瞒不下去，他们才决定去派出所自首，那天跟往常一样，两人衣着素朴、干净，赶在上班时间，与所有人一起推着自行车走出院门，浓雾从远处的烟囱里散出来，遮蔽部分天空，他们跨步上车，一前一后，骑得很慢。

这两个故事结构比较松散，没头没尾，并没有引起广泛关注，但刘柳是为数不多的在文章底下留言的人，写了很长的一段，我没有太看懂，但大意是觉得第二个故事很好，让她想起曾经的邻居，我发去邮件，跟她讲，我写的就是我曾经的邻居，他们的儿子是我同学，我住二楼，他们住三楼，那天学校并没有提前放学，是我拉他一起逃的学，在外面玩腻了，于是提前回家，他死之后，有一段时间里，我也很自责。刘柳回邮件说，那第一个故事呢，原型是谁，感觉没有结尾。我说，没有原型，幸存者很失落，他们已经很疲惫，但不得不打起精神去提防黑暗；没被抓住的凶手也很失落，他本来短暂的一生，将会因此被抻得极长，直至无限，这就是所有人的结尾。刘柳说，有点意思，我在北京，甜水园图书市场里上班，当出纳，平时爱看书和演出，喜欢摇滚，也想自己写小说，但总写不好。我说，我也写不好，有机会一起探讨。

我来北京的第二天，便来跟刘柳见面，她跟照片上几乎没有区别，长得很白，看着不太健康，头发像只碗一样扣在脑袋上，唇下有痣，眼神发钝，跟我一样，也是深度近视，披一件黑色的短夹克。我提着一口袋水果，对她说，不知道买啥，给你买了一盘香蕉，两个火龙果。刘柳说，我还以为你要去看望病号呢。我说，都是热带水果，营养丰富。

刘柳带我去吃一家羊蝎子，说是北京特色，结果全是骨头，根本啃不下来什么肉，我没吃饱，但也不好意思说，席间她喝了两瓶啤酒，一瓶凉的，一瓶常温，掺着喝，喝到后来，酒撒在衣领上，她用手擦掉，显得有些狼狈，但也可爱，我假装没看见，趁她去卫生间时，顺手把账结了。饭后，我送她回家，走到她家楼下时，我说，你家里有刀吗？她很警惕地说，你要干吗。我说，没别的意思，就是想尝尝火龙果的味道，一直没吃过。刘柳说，我吃过几次，也没啥特殊，不香不臭。我说，是吧，我还是有点好奇。刘柳又说，那你上来吧，这东西剥皮就行，不用使刀。

刘柳是跟朋友合租的房子，她住北屋，南面是一对在附近超市上班的情侣，我们蹑手蹑脚地回到她的房间里，她拉开灯管，满屋子都是书，很多都还没拆封，我随手拾起几本，说道，这么多书，没有想到。刘柳说，赚的钱都买书了基本，看书也慢，越攒越多，现在就怕房东忽然涨价，搬家实在是太麻烦。我说，借我几本看看。刘柳说，抱歉，从不外借。我说，行吧，那有机会给我推荐几本。刘柳掏出一个火龙果，对我讲解，看见没有，火龙果的脑袋上有个洞，这是它的致命弱点，你把手指伸进去，找好发力点，往外使劲，就能把一层层的皮全剥下来，剥开之后，像一朵绽放着的花，特别好看。我咽了咽口水，一把将刘柳拽过来，她飞快地挣脱掉，笑着说，你要干吗啊，我起身再次将她抱住，她忽然变得一脸严肃，推开我说，今天不行，生理期，你冷静一些。我忽然觉得也很没意思，便将她松开，她整理好衣服，打开电脑，放了一首极为沉闷的曲子，夹杂着淅淅沥沥的雨声，我们互相都没再讲话，只是坐在床边，花了很长时间，终于将那两个火龙果吃完了。

我在图书市场闲逛，等刘柳下班，顺便翻翻各个摊位上的书，还看见了我写的一本，封面上署的都是假名，我问摊位老板，这本卖得怎么样。他说，你是出版社的发行吧。我说，是。他说，刚开始卖，不知道好坏。我说，什么样的书卖得好呢。他说，啥书卖得都不好，没人愿意看书了，都在看手机。我说，也是。他说，但是地图卖得还可以，总会有人来买地图，销量不断。我说，什么样的人群呢。他说，说不清，有老有少，就爱看地图，地图册和挂纸都买，世界地图，中国地图，外国地图，各省市地图，青藏高原地图，四川盆地地图，洋流图，航海地图，有啥买啥，来者不拒。我说，买回来干啥。他说，那我说不清楚，收藏，搞研究吧或许，还有的在上面摆小人儿，用圆珠笔画行军路线,今天攻占大西洋,明天解放匹兹堡。我说，厉害，军事家。他说，也不排除有人就是爱看地图，这样的我也听说过，盯着地图发呆，眼睛都不眨，一看就是一整天，坐地环游八万里。

刘柳穿着一件十分宽大的橘色防晒服，风吹过来，她的后背上鼓起一个大包，看着像动画片里的人物，我们在图书市场对面的韩餐馆吃饭，刘柳要了一杯米酒，我尝了一口，难以下咽，她喝完一杯，又要一杯，我很不理解。

刘柳夹起一筷子炒米条，问我，波拉尼奥看完了吗？我说，没有。刘柳说，那么薄的一册，还没看完，我本来还想跟你探讨一下呢。我说,看了一部分,最近在忙新公司的事情。她说，飞行员。我说，什么。她说，小说的主角，那个连环杀手，也是飞行员，开着战斗机，在太阳底下穿梭而过，用白色的尾迹写诗，它们像云一样，挂在半空里。我说，还没读到这里，但能想象得到，在沈阳的法库县，每年都有国际飞行大会，全是飞机拉线，五颜六色的，有机会带你去看看，比较壮观。刘柳放下筷子，说，有时候我觉得跟你真是没法聊。我说，你再给我一点时间，最近我的脑容量比较紧张，每天想的不是王阳明就是张居正，装不下外国人名。

饭后，我们步行到亮马桥附近，刘柳说，这边有个汽车电影院。我说，啥意思，在汽车里也能看电影。刘柳说，差不多，我也没看过，好像是坐在自己的车里看，车内的音响调到一个频段收声，透过风挡玻璃看大屏幕，我猜是这样。我说，真不如去电影院，这又要擦玻璃，又要调收音机，刮风下雨什么的，估计还会影响效果，简直脱裤子放屁，多此一举。刘柳说，这就你不懂了吧。我在等着她接下来继续反驳，但过了一会儿，她又说，其实我觉着也是。

刘柳带我去的酒吧就在汽车电影院内，我们刚从漆黑的水潭转过去，便看见几簇零散的灯光，三四十人正在亮处逐渐聚拢，相互谈笑，有人弓着腰，用毛笔蘸足墨水，在门口的桌子上写字，姿态夸张，宣纸拉起，挂在门口的栅栏上，上面四个大字：门票五十。刘柳掏出一百元，买了两张门票，我们在酒吧里等候，我要了一罐可乐，打开折叠椅子，靠着暖气坐下来。刘柳拎着一瓶啤酒，来回走动，神态兴奋，偶尔会跟我说，这个是谁谁，玩硬件噪音的，那个是谁谁，什么独立厂牌的运营者。我说，这些人想不想找个工作呢，底薪一千八，绩效另算，创业公司，氛围单纯。刘柳先是哈哈大笑，然后又说，滚吧你。

当天晚上总共三个人演出，第一个人，登台之后，也没说话，打开笔记本，开始放歌，嗞嗞作响，如同耳鸣，毫无旋律，我十分不解地看着刘柳，但她却不看我，专注于那些收废品一样的声响；第二个人，长发垂肩，拿着一把吉他上场，前后跳跃，像是在施法，音量很大，我坐在椅子上都要被掀翻，实在撑不住，于是跑出去透气，门外是一片草地，有人支起炉子烤羊肉串，我闻着很香，很想过去买几串吃，却又觉得不够严肃，于是作罢。第二个人演完之后，刘柳出来找我，问我为什么不继续看演出，我说，理解不了这种音乐，没调，呜哩哇啦，太吵，都是噪音。刘柳在台阶上坐下来，掏出手机，说，找出一篇文章，告诉我说，你看看这个，别人写的乐评，关于刚才演出的那个吉他手，你试着通过文字理解一下。我接过手机来，读道，东海之外大壑，少昊之国。少吴孺帝颛顼于此，弃其琴瑟，《山海经》，卷十四，大荒东经。刘柳说，功底不错，这一段里，好几个字我都不认识。我说，以前做过一本关于《山海经》的注释，边做边查，记住不少生僻字。她说，你接着看。我继续读道，山无棱，天地合，肉身坠海，性灵游弋，悬崖景深万丈，斯人流连忘返，只待纵身一跃，便可羽化成仙，抑或陷入万劫不复之地，这一次，他把吉他当成爱人，把演奏当成了一场交媾，披荆斩棘，浊浪排空，魂飞天外，尘世里魔怪纷扰，我们黄泉路上见。刘柳说，怎么样，写得挺炫吧，作者跟你一样，好像也是沈阳的。我说，这里面他妈有一句是人话么。

演出结束时，已经差不多晚上十点，刘柳又交到一位新朋友，留着长须，脑袋上盘着发髻，一身长衫，有点像道士，他给刘柳买了一杯啤酒，之后就一直站在吧台旁边聊天，连说带比划，眉飞色舞。我看着有点来气，便从侧面走过去，拉了下刘柳的衣服，告诉她说，我有点事先走，你自己回去时，注意安全。屋内放的音乐声音很大，刘柳好像没太听清，我也没管，直接往外走，出了院门，走到水潭附近，刘柳从后面追上来，气喘吁吁，拉住我的衣服，跟我说，你没生气吧。我说，没，看你们聊得挺好，就先不打扰了。她说，还是生气了。我说，真没有。她说，我又没说不走，你等我回去上个厕所。

我点了根烟，望着刘柳折返的背影，雨丝落入水潭里，荡出一圈轻微的波浪，相互侵扰，不断变幻；我闭上眼睛，听见歌声从狭窄的远处传来，低沉的呢喃，铃鼓与提琴，有人喊起口号，几句铿锵的外语，其中又夹杂着尖锐的枪声。刘柳的脚步走远，随后又逐渐接近，我在木桥上，听着她一步一步走过来，在我身前停下，抬头望天，然后说道，什么星悄然坠落而无人见之。我说，什么星。刘柳说，不是问你，这是小说的引文，福克纳的一句话。

当天晚上，我们又走回图书市场，住在对面的客栈里，八十六块钱一宿，不贵，但条件一般，房间全是在地下，走进去像迷宫，转了好几道弯，才找到我们的房间，屋内挺干净，也算宽敞，但没有卫生间，这点不太方便，公共浴室也在屋外，走过去得好几分钟。刘柳让我先去洗，她打开电视，遥控器来回调台，我没直接去浴室，而是又转回地上，出门去超市买了两盒烟、一盒避孕套，还有两罐啤酒，回来开门，把东西扔在床上，刘柳半躺在枕头上，看起来十分疲惫，好像就快要睡着了，电视里还在播着新闻，我把她摇醒，又脱掉她的裤子，轻轻抚摸，她没有回应，但也没有拒绝，我爬上去做了一次，时间有点短，不太成功。做的过程中，她一直眯着眼睛，咬着嘴唇，表情有些不耐烦，刚开始时，我想把电视声音调大一些，她却示意我把电视关掉，于是我们只开着床头的暗灯，周围安静，呼吸声清晰可闻。做完之后，我们躺在床上，谁也没有说话，过了大概十分钟，刘柳说，有点想撒尿，憋得慌，但是不爱出门，还得穿衣服，懒得动。我从桌子下面翻出来一个脸盆，跟她说，往这里尿吧。她伸手关掉暗灯，跨过我的身体，光脚蹲在地上，撒了泡尿，黑暗中的所有声音都极为生动，不知为什么，我竟然十分紧张，心跳很快。尿完之后，她对我说，对不起，酒劲儿上来了，太困，于是又爬到床里面，脑袋顶着枕头，睡着了。我悄悄穿上拖鞋，拿着脸盆出门，长舒一口气，走到卫生间，将尿液倒掉，又冲刷几遍，顺便洗了个澡，回到屋子后，翻来覆去睡不着，于是打开床头灯，掏出包里的那本波拉尼奥，继续看书。

三

午夜时，书已经读过大半，情节紧张，我愈发精神，毫无困意。刘柳忽然醒来，问我几点了。我说，快一点了，你接着睡吧。她说，睡不着，后背怎么一直发凉。我说，不是你的后背发凉，是这个房间潮气太重，被单精湿，泛着阴气，使点劲儿都能拧出水来。刘柳说，浑身酸痛。我说，要不然这样，你先起来一下，我把外衣和衬衫都垫在被单上面，你再躺上面，多少能好一些。刘柳说，我好像感冒了。我说，实在不行，我们换个宾馆，我兜里也还有些钱，或者送你回家也行。刘柳说，算了，将就一宿，有水么，嗓子发干。我说，忘买了，只有两罐啤酒。刘柳说，来一罐吧，润润喉咙，兴许还能再睡会儿。

我伸手打开一罐递给她，她接过来，小口喝着，我将另一罐也打开，喝下一口。刘柳盯着我说，你不是不能喝酒么。我说，是，酒精过敏。刘柳说，那怎么还喝。我说，我也渴，整个晚上，基本没咋喝水。刘柳说，那你喝完酒后什么反应？我说，也没啥，头晕，脸发红，浑身起红斑，不好受，过一会儿能消下去。刘柳问我，那你现在晕吗？我说，本来不，你这一问，有点晕了。

刘柳喝完了一罐，我喝掉半罐，她把我的酒抢过来，自己继续喝，然后说，刚才我没做什么不好的事情吧。我说，没有。她说，是吧，当时有点醉，晚上喝的米酒，后劲儿挺大，我们好像做了一次，是吧。我说，是。她说，做完我就特想撒尿，每次都是，控制不住。我说，正常，生理习惯。刘柳看见我手里一直拿着书，问我说，这本书有意思吧。我说，写得不错，氛围恐怖，也像侦探小说。她说，对，你要继续看书吗。我说，看也行，不看也行。她说，不看的话，我们就再做一次，屋里怎么这么冷。我说，好。

开始做之前，刘柳有点不好意思地说，我能在上面吗，不想躺着，后背还是凉，于是我躺在下面，她骑在我身上，掌控节奏，非常投入，我的状态也比前一次要好些，但好像还是没能让她满意。做完之后，我们分别又去冲了个澡，然后躺在一起，把电视打开，她问我，现在几点了。我说，两点半。她说，我又有点困。我说，我也是，不然闭了电视睡觉。她说，别闭，有个动静，也许睡得更好。我说，也行。她说，再说会儿话。我说，说啥呢，对了，可以谈谈这本《遥远的星辰》，我马上就看完了。她说，不聊这个，说说你的作品，北方故事怎么不写下去了。我说，后来我就毕业了，找了个工作，去郊区写动画片，就没时间继续写了，再说，本来也是写着玩的，没有规划。她说，可惜了，那两篇都挺好看。我说，也就你这样认为吧，当时写得很草率，两个晚上写完，基本没改，就贴上去了，语病错字连篇。她说，这不要紧，主要是有一种很不同的气质，包括你后来写的几个随笔，回忆一些往事，我不知道怎么形容，说不清楚像谁，反正我觉得不错，就几百个字，但每篇都会看好几遍。我说，惭愧，谬赞。她说，北方故事还有吗，再讲一个。我说，没了，就这俩。刘柳说，你别不耐烦啊。我说，就这俩刺激的，剩下的都很日常，吃烧卖，喝羊汤，渍酸菜，涮火锅，北方美食故事。刘柳说，不要这个，要出人命的那种，冰天雪地，白茫茫的一片，总得有点不一样的色彩点缀。我说，没看出来，你的内心原来是这样的。刘柳说，是吧，不信你数一数，看看《遥远的星辰》里面死了多少人。我说，我没有这样的故事了。刘柳说，那你现在编一个。我说，编不了，从小不会撒谎。刘柳说，那得了，我还是走吧，退房，没意思，回家睡觉，明天还得上班。我说，这么晚了，还折腾啥，那我讲一个，我听说的，真假不知，现在头晕，不一定能讲好。她说，好，你说，我闭着眼睛听，等我睡着，你就可以停下了。

我拿出手机，里面存着一篇故事提纲，很久之前开始写的，偶尔会翻出来，改几个字，但始终没有写完，我压低嗓子，盯着屏幕讲道：故事主角，年龄跟我相仿，名叫孙程。其父孙少军，年轻时下过乡，是七一届知青，在青年点与其母相识，回城之后，通过祖父的安排，同在线路大修段上班，随后两人结合，次年生有一子，即孙程，早产，体重刚过四斤，后虽精心照顾，仍瘦弱多病，不比同龄者。

八十年代末，其母托人调动工作，从此远离生产一线，转至附属医院的行政部门，较为忙碌，孙少军由于性格原因，在工作中常与领导发生争执，时而激烈，难以调和，遂申请停薪留职，坐火车去南方，学做生意，观察数月，背回来几捆皮鞋，回到沈阳时，正值冬至，走街串巷，一双也没卖出去，心灰意冷，之后染上麻将癖好，经常彻夜不归。偶尔也会出门赚钱，穿着崭新的皮鞋去蹬倒骑驴，在火车站附近拉脚儿，或去家具城对缝，赚到钱之后，除简单贴补家用之外，大部分都浪费在赌桌上。

三年之后，其母与一年轻医生交好，并再次怀孕，便与孙少军离婚，法院将孙程的抚养权判给孙少军，他开始跟着父亲一起生活，这一年里，孙程刚满七岁，默默目送母亲离开，没有叫喊，也没流泪。也是在此时，祖父双耳发聋，城区改造伊始，四面拆迁，他每日处于巨大的崩塌声响中，却置若罔闻，面容严峻，半年之后，祖父去世，葬礼冷清，悼者寥寥，火化前夜，孙少军彻夜赌博，输光现金，没钱买骨灰盒，只得从家中带去月饼铁盒，焚化过后，将其骨灰铲碎，再倒入其中，铁皮滚烫，盒盖上四字，花好月圆，孙少军捧着返程，狼狈不堪。

周围平房均已拆完，只有他们一幢矗立街边，从旁边的楼顶拉来一条长长的电线，在风雨里飘荡。父子二人相依为命，葬礼过后，孙少军痛定思痛，改邪归正，借遍故人，兑下来一家抻面店，开在卫工街的桥头，当时此地是铁西区的物流中心，跑车的司机、装卸的力工、养车的老板，都在此聚集，人声鼎沸，形似陆上码头。孙少军起早贪黑，苦心经营，一年下来，收入颇为可观，家庭经济状况有所缓和，但仍住原址，没有搬迁，旁边的高楼在一夜之间站立起身，庞大坚固，遮住全部阳光，如巨人一般，日夜俯视着这间旧屋。

经营饭店期间，孙少军与外地女服务员吴红产生感情，搬至一起生活。好景不长，夏季某日中午，两方物流人员，同在他的饭店吃饭，发生冲突，互不相让，发生激烈争斗，打完一场之后，又迅速集结人员，再战一轮，警车鸣笛，一哄而散，只留几人倒在血泊之中。其中一位伤者被砍十三刀，没抢救过来，孙少军也受到牵连，不得不将店关掉，从长计议，又回火车站拉脚儿。

拉脚儿也分帮派，东西南北，各有势力，孙少军性情愈发孤僻，不愿加入任何一方，只在周边拉些零碎的活计，三五块钱，积少成多，回家悉数交给吴红。吴红也出去打零工，她年龄不大，但幼时吃过苦，为人勤快，懂得节约，规划合理，所以日子得以维持。

一九九六年的春节，整个沈阳都极为萧条、冷清，没有一丝过年气息。早在几个月前，政府颁布禁放令，限制极为严格，周边各大鞭炮厂早已停止生产，市民没有合法摊位可以购买鞭炮，只有零星的私人爆竹厂还在运转，吴红当时在一家这样的工厂上班，每日隐蔽生产，产量小，销路堪忧。临近除夕，厂长宣布由于销售情况惨淡，产品积压过多，提前放假，工资只发一半，至于另外一半，或以鞭炮等值抵还，自寻销售出路，或等来年境况改善时，厂里再弥补回来。

吴红回家与孙少军商量半宿，决定还是要鞭炮，卖一分钱是一分钱。次日凌晨，两人头顶大雪，蹬着倒骑驴，拉回一车鞭炮，火药味道极为香浓。当天下午，吴红与孙少军分头行动，各自提着皮箱，箱里装满各种鞭炮，在市集的角落处贩卖，半天下来，吴红拖着空箱归来，鞭炮售空，神情兴奋，而孙少军只卖掉一捆闪光雷。吴红问他，卖得如何。孙红军骗她说，虽然没你多，但也不少，明天拉脚儿回来，我再继续去卖。

朗月当空，吴红与孙少军历尽疲惫，很快入眠，孙程却悄无声息地起了床，他其实一直没睡着，眼瞪天棚，内心兴奋。起床后，他披一件外套，又从抽屉里取出一盒火柴，拖着孙少军的皮箱，只身出门，绕到屋后，将箱子打开，划亮一根火柴，就着火光，开始翻捡鞭炮，他挑出一些不会发出大的声响的，逐一燃放。孙程又紧张又兴奋，先是将数支呲花插在雪堆里，间距平均，形成一排，按顺序从尾部点燃，星火绽放，大地开花，连成一片，十分壮观；再点燃几个纸蜜蜂，旋转上升，照亮空中的烟雾，又跌入到黑暗里；最后放的是细长的魔术弹，他夹在栏杆上，小心点着，然后手持尾部，斜射入空，一颗颗魔术子弹，冲得极远，在空中绽放又消逝。放完这几只鞭炮，孙程又将剩下的整理好，重又拖回屋中，蹑手蹑脚，上床睡觉，闭上眼睛，光的魔术仍在他眼前浮动。

火灾发生时，孙少军和吴红还都没有起床，外面烟雾极大，但不见明火。孙少军闻到烟味时，叫醒吴红，两人一起望向窗外，没发现任何异常，再穿上拖鞋转向屋后，发现未竣工的大楼里，某层烟尘滚滚，孙程此时睡得正熟。他住在里屋，隔音较好，所以消防车来时，并没有吵醒他，后面的警车赶来时，他也还是没有醒。

刘柳轻微的鼾声响起后，我仍未停止自己的讲述，尽量维持着平稳的语调，我说得口干舌燥，伸手拿来刘柳身边的啤酒罐，可惜里面已经空了，只剩几滴，我将最后几滴倒在舌头上，放平枕头，也沉沉地睡了过去。

第二天早上起来时，刘柳已经从外面买好早餐回来，几个包子，两杯豆浆，她穿着整齐，还简单化了妆，跟我说，不知道你爱吃什么馅的，随便买了两种。我说，都行，不挑。刘柳又问我，你等会儿去干吗？我说，看你安排。她说，别看我，我得去上班。我说，那我吃完也走，公司刚开，很多事情要处理。她说，祝你顺利，有件事情，咱们还是说清楚为好。我说，什么事情。她说，昨天晚上，我有点喝醉了，所以我们发生的事情，不可能变为常态的，希望你理解。我说，行。她说，我觉得我们还是当成普通朋友相处，这样比较舒服，我这个人吧，对进一步的关系比较惧怕，你别怪我，这是我自己的问题。我说，不怪你。她用吸管扎开豆浆，一口气喝掉大半杯，最后说道，你吃吧，吃完可以再休息一会儿，我得先去上班了，中午十二点前退房就行，这你都知道吧。

刘柳离开之后，我想来想去，心情愈发糟糕，饭也没吃，蓬头垢面地出门退房，然后坐上地铁，回到肖雯租的办公室里，趴在桌子上睡觉。中午，肖雯打过来电话，问我王阳明的剧本写得怎么样了，那边十分着急。我说，还没写完，时间不够。肖雯说，梗概总有吧，大致内容先发给对方看看，要快。我说，梗概也没有，他的生平也不复杂，几句话就讲完了。肖雯说，你要是这个态度，咱们没办法合作了，我真的很失望，昨天你一直也没在办公室。我说，那是特殊情况，我现在就写，你别急。

挂掉电话之后，我开始整理资料，参照相关书籍，撰写内容梗概，一口气连写两集，然后将文档传给肖雯，不知不觉，已是傍晚，光线垂落，我下楼准备吃饭，忽然刘柳又打来电话，我犹豫了几秒钟，还是选择接听。刘柳说，下班了吧，今天忙完没有。我说，暂时告一段落，正准备去吃饭，要不要一起。她说，不要，我今天忽然想起来，昨天后半夜，你是不是给我讲了个故事。我说，是。她说，好像还挺有意思，但我听到一半睡着了。我说，你听到哪里。刘柳说，好像是有个小孩，半夜出门放鞭。我说，后面我还没讲呢。她说，那我就放心了，有机会把故事讲完。我说，不讲了，后面没意思。刘柳说，爱讲不讲，也没求着你。我说，也不是这意思，你要非得听，那改天我就继续讲。刘柳说，写出来也行。我说，真没时间，欠了一堆稿子。刘柳说，不说这个了，昨天的演出你觉得怎么样。我说，听不懂，又乱又吵。刘柳说，实验音乐，其实是很讲究结构性的。我说，理解不上去。她说，你不是音乐学院的么。我说，是，但我学的也不是音乐，平时也不怎么爱听歌，听也是流行歌曲，或者电视剧插曲。她说，什么电视剧。我说，很多，小时候看《倚天屠龙记》，马景涛主演，里面的歌就都不错，滚滚的红尘翻呀翻两翻，天南地北随遇而安，这剧里面，我最喜欢光明左使杨逍，武功高强，却甘愿为情所缚，看完之后，对孙兴这个演员也很有好感，后来他还演过个喜剧，太白金星，叫什么来着，对，春光灿烂猪八戒，主题曲也好听，好春光不如梦一场，梦里青草香，你把梦想带身上，蓝天白云青山绿水，还有轻风吹斜阳，最后一集，小龙女死了，一生坎坷，总共没过几天消停日子，最后还要奉献自己，家人朋友都在哭泣，十分惋惜，却也无能为力，后来响起主题歌，唱得真他妈的好啊，相聚短暂，人来又人往，轻风吹斜阳。

四

我连续工作赶稿，只能睡在办公室的沙发上，周日早上，还没睡醒，肖雯便提着几个箱子闯进来，箱子里装的都是办公用品，笔记本、打印纸和各种颜色的笔，大概是从出版社顺过来的。她看着我的眼神，解释道，我们刚创业，资金有限，得省着来。我说，收到应聘简历了么。她说，公司没注册，招聘信息不让发，不过从出版社的邮箱里挑出来几份，已经打电话让他们过来面试。我说，今天面试？她说，对。我说，不早跟我讲，怎么也得换件干净衣服。她说，记住，我们招人不容易，不管来的人怎么样，一定要先把他稳住。

肖雯在上午总共约了三个人来面试，结果只来了一个，男的，比我大八岁，讲话口齿不清，简历后面附上小学征文大赛的复印件，告诉我们，正是这篇获奖征文，让他决心要走上文学之路。我说，我这边不提供走上文学之路的途径，事实上，我们只需要能干活的，逻辑清楚，文字通顺，有基本的语文能力，会改写，把一段话的意思，用另一种表达方式讲出来，使其不涉及版权问题即可。肖雯赶走这个应聘者后，表情失落，问我，怎么我们要做的就是这个事情么，我还以为可以改变产业模式，成就一番新事业。

我说，怎么可能呢，按照现在的趋势来看，这个事情做起来，只会越来越难，这个你应该比我清楚。肖雯说，现在想想，有点后怕，对形势判断有些失误，之前谈了一个系列的历史小说，王沛东写的样章，对方很满意，昨天忽然打电话说这条产品线不做了。我说，王沛东也会写书啊。肖雯说，会，他以前还攒过几本畅销书的稿子，我就是跟他约稿认识的，只不过现在不怎么干了，只想写自己的作品。我说，写出来了吗。她说，还没有。然后又说，我最早找你合作，就是因为觉得你跟他有点像，但见面发现不一样，你比他更踏实一些，他现在还写诗呢。我有点不服，说道，我也写啊。她说，真的假的，背一首我听听。其实我从来也不写诗，她让我背时，我脑子一片空白，忽然想到波拉尼奥书里的那位杀手的短诗，便稍加修改，背给她听：死亡是友谊——死亡是成长——死亡是爱情——死亡是洁净——死亡是我心——拿走我的心吧。肖雯听后愣了一会儿，回味许久，然后说，行啊你，写得不错。

我们点了一些外卖，在办公室里吃午饭，饭后，肖雯说有点困，想眯一会儿，便脱掉鞋子，回到里屋，倒在新买的简易沙发上。我在电脑前写文，状态不错，期间喝了一大杯浓茶，上了两次厕所，从门外偷看肖雯几眼，发现她还没醒，睡得很香，我虽有些心神不宁，但还是忍住冲动，没有进去骚扰，继续回来工作。下午三点多，门铃响起，我打开门，发现王沛东在外面，拖着行李箱，他问我，肖雯是不是在这里。我说，在里面睡觉呢，你快进去看看，好几个小时了，别再醒不过来。

王沛东悄声进来，把箱子放在门口，坐在阳台上的塑料椅子上抽烟，跟那天晚上的姿态很像，我过去把窗户嵌开个缝，他也递给我一颗，我在对面坐下来，闻见一阵酒气，便问他，喝了多少。他说，半斤多一点儿。我说，提着箱子要去哪。他说,要回老家一趟,跟肖雯道个别。我说，回家有事情。他说，女儿的事情，老毛病，又住院了，回去照顾一段。我说，不知道你们还有个女儿。他说，不是肖雯的，是跟我前妻生的，小学三年级。我说，学习不错吧。他说，数学不行，勉强及格，语文那是没得说，每篇作文都要上墙，这点随我。我说，听说你在写自己的作品。他摇了摇头，说道，别提了，没写出来。我劝慰说，别灰心，慢慢找状态。这时，肖雯从里屋走出来，眼神惺忪，看见我们坐在阳台上，眉头一皱，没有说话，径自走回屋里，王沛东连忙跟上，肖雯想从里面关门，王沛东在外面推门，僵持一阵，王沛东还是进屋了，两人关门说话。屋内隔音不好，我在外面偷听，好像不太礼貌，于是我烟灰倒在外卖袋里，又下楼扔掉垃圾，在小区里转了十几分钟，才又上楼，听见两人好像在屋里争吵，我戴上耳机，继续工作，半个小时后，他们从屋里出来，王沛东拖着箱子离开，肖雯眼睛肿着，跟他一起下楼，没多大一会儿，又回到屋里，坐在电脑前，用外接音箱看综艺节目，音量很大，十分嘈杂，我完全没法工作，心神不宁，只好挎上背包，直接出了门。

我在地铁站里给刘柳发信息，问她在干吗。刘柳回复我说，跟朋友吃饭。我说，我能去吗。她先是说不太方便，然后又说，你来吧，其实我没跟朋友吃饭，自己在家呢。我从超市买了一条鱼，又凭记忆走到她家附近，但记不清具体是哪座楼，给她打电话，说已经到楼下了，但找不到具体是哪里。刘柳说，对不起，现在又出门了。我说，没关系，今天本来是想把故事给你讲完。刘柳说，什么故事，噢，半夜出去放鞭的那个。我说，对。她说，电话里说行么。我说，不太方便，有点长，那还是下次。刘柳说，别动，我看见你了，你手里拎的是什么。我说，一条鱼，准备蒸着吃。她说，上来吧，看见我没有，我的窗户开着呢，在这里。

鱼在超市已经收拾利索，我在两面抹好盐，准备上锅蒸熟，我问刘柳有没有葱姜，可以切一些放上面，去腥提味，她说从来不在家做饭，连盐和酱油都是隔壁那对情侣的。蒸好之后，我们回到她的房间里吃鱼，腥味很重，我有点吃不惯，刘柳也觉得难以入口，问我这是什么鱼，我说，鲈鱼，她说，我看着怎么不像，我说，这是花鲈，相对少见一些，背鳍有黑色斑点，斑点随年龄的增长而减少。她说，你怎么什么都知道。我说，我以前在超市打过工，负责水产部门，每天称鱼喂龙虾。刘柳说，经历挺丰富。我说，你呢。她说，没啥经历，在河北读书，三流大学，毕业后因为喜欢文艺，爱看演出，来北京随便找了个工作，已经快两年了。我说，准备一直在北京么。她说，不知道，想出去旅游，但没有钱，你的故事没有讲完呢。我将手伸过去，抚摸着她的后背，说，要不然，完事再讲。刘柳甩开我的手臂，又跑去电脑前，背对着我，不再说话。我掏出手机，倚在床上，叹了口气，屋内安静得让人无法适应，我清清嗓子，刘柳也没有回头，我继续为自己讲述。

外面传来一阵响动，孙程在梦里听得并不十分真切，他翻几个身，继续睡觉，再醒过来时，孙少军已经被带走调查，连同那些没卖掉的鞭炮，一并清缴。吴红抹着眼泪烧煤炉，面对孙程的询问，无法开口，似乎觉得这场大祸是因自己而起，她默默做好早饭，在桌上摆好两副碗筷，自己没吃，然后出门蹬上倒骑驴，独自去车站拉脚儿。

在这一天里，以及接下来的几天里，孙少军和吴红都没有回来，孙程在同学家吃了几天饭，又从炕琴里翻出几十块钱，买了数袋速冻馄饨，每天早上煮五个，中午十个，晚上八个，馄饨几乎没什么馅，姜味极重，汤料里都是味精，吃到后来，喉咙极为不适。第六天时，已经是腊月二十九，孙少军放回来了，案件基本查清，烟花爆竹引燃楼板上的油漆和装饰材料，没有人员伤亡，损失不算惨重，但加上非法经营贩卖违禁品，数项并罚，家底几近掏空。

孙少军回家之后，吴红仍未归来，又去报案找人，春节期间，相关部门放假，直到大年初七，各部门正常运转，孙少军才得到消息：吴红在火车拉脚儿期间，正逢年关，收容遣送站来查三证，凡是不全者，一律拉走，装上轻货，去郊外自留地里干活，吴红解释不清，又有抵抗情节，被直接拉走，进行劳动改造。

家中少人，没法过年，孙少军心神不宁，孙程战战兢兢，二人将吴红接回家时，已经出了正月。父子进站领人，满屋都是信纳水的味道，进门处挂着工作人员名单，由于日光长期斜照，照片已经泛白，但看来更为苍凉、恐怖。在九十年代，收容遣送站有执法能力，抓放一套系统，抓吴红的是副站长杨树，位于名单的第二行，戴着眼镜，五官模糊，脸颊上的肉往下坠。孙少军一直等到当天下午四点，杨树才回到站里，满身酒气，语气不耐烦，本要在上面签字时，几番犹豫，孙少军上前，递烟赔笑，好话说尽，杨树抬着眼睛问，吃喝拉撒都在我这里，怎么一点表示也没有。孙少军刚缴过罚款，倾尽口袋，不过几张毛票，攥着堆到杨树面前，杨树看着孙少军，嘴角一歪，大手一横，将毛票掸在地上，起身反手又抽孙少军一个耳光，响亮无比，绿门大敞，声响回荡，然后他缓缓坐下，盯着孙少军看，孙少军捂着半边脸，不敢发作，杨树低头划拉几笔，签下名字，说了一句，滚。孙少军拿着单据，扭头走出两步，又转回身来，低头仔细收好满地毛票，孙程此刻就在门外，呆立半晌，不知所措。

三人头发蓬乱，眼眉挂霜，从东陵骑回铁西。吴红坐在板车后端，神情呆滞，已无人样，讲话反应极慢；响亮的耳光仍回荡在孙程耳畔，他似乎深陷于时间漩涡之中，那一幕在其脑海反复播放，生动而清晰；孙少军满眼血红，呼吸粗重，似发怒之虎，在冰面上奋力蹬车，经转弯处，轮子打滑，车身倾斜，三人全部滚落在地，黑雪沾身，满脸印痕。回家之后，孙少军生火烧炭，炉膛滚烫，红光映照，三人坐在桌边，吃光最后一袋馄饨，家中从此一无所有。

收容遣送期间，男女混杂，疯者无数，日夜颠倒，吴红受到数次侵害，有苦难言，随后一段时间里，精神虽恢复不错，但有些妇科疾病，难以治愈，吴红时常因此饮泣，几欲自杀，孙少军反复劝慰，出门借钱，带她去医院检查，由于费用高昂，治疗时断时续，始终未见好转。同年六月，孙程参加小升初考试，成绩中上，缴纳九千元便可去读重点中学，但这笔钱对孙少军来说，的确很难负担，亲朋已经借遍，其生母当时下海经商失败，又再度离异，只身带着女儿生活，对此也是无能为力。

隔壁情侣下班回来，脱掉鞋子，互相说着话，有来有往，像是在争吵。刘柳转过头来，跟我说，嘘，不要让他们知道你在这里。我说，好。她说，我放个音乐吧。我说，别了，不想听。卫生间传来一阵水声，我说，他们在洗澡吧。刘柳说，对，他们总在一起洗，很长时间，特别不方便，有时候还在里面弄一次，声音很大。我说，那我们出门走走。刘柳说，也好。于是我穿好衣服，轻手轻脚，跟着刘柳来到门外。我们悄悄往楼下走，我在前面，她在身后，走到二楼时，感应灯忽然灭掉，一片漆黑，我的脖颈上感受到她的呼吸，她几番跺脚，大声咳嗽，但灯仍未亮，我默默向后伸出手去，她在黑暗中抓住我的手，小心前行，在走出楼洞的一瞬间，又松开了。我们走在路灯之下，光线昏黄，路上来往的行人车辆很多，我们一起向地铁站走去，路上遇见水果店，我买了两个进口苹果，红得不像话，递给刘柳一个，她简单擦了擦，张嘴便咬一口，声音清脆，风吹过来，我们走得愈发轻快，像在水里穿梭，空气波荡，景物漂浮，这样的夜晚我已经很久没有经历过了。

一九九六年七月八日，沈阳卷烟厂发工资，早上八点三十分，司机艾晓峰，保卫干部刘国喜，女出纳员彭璐，开车去附近银行提款，共计二十一万五千。回程途中，始终有辆出租车紧随其后，红色拉达，辽 A 牌照。早上九点，提款车开进厂门，拉达在厂外急刹车，跳下来两个人，戴着前进帽和白口罩，身披蓝大褂，掏出改造后的猎枪，大步上前，将艾晓峰和刘国喜当场打死，然后去后车厢里拎钱，抢得巨款后，临走之前，又将自制猎枪从车窗伸进去，照着脑袋又补一枪，逝者满脸铁砂，不成人样。二人随后跑出厂区，直接回到出租车上，迅速逃离现场。案发后一小时，在铁西区重工街的居民区发现歹徒丢弃的出租车，车的后备箱里发现出租车司机尸体，经勘察系被尼龙绳勒死。

孙程去学校报到那天，骑的是二手山地车，孙少军从滑翔二手车市场里收过来，二百六十块钱，骑着很沉，但可以变速，孙程一路来回调节档位。孙少军没跟他一起，自己坐着公交车来的，他穿着以前的工作服，站在教室外，跟其他家长一样，望向室内，报到当天不必上课，每个人要做个自我介绍，孙少军侧耳倾听，孙程的介绍非常简单，显得有点没信心，他站起身来，红着脸，支吾着说，我叫孙程，没啥爱好，希望在未来的三年里能跟大家成为朋友。

一九九六年十月十五日，早上八点四十五分，一辆取款车停在皇姑区敏江街的华山信用社门前，迎面驶来一辆天津大发面包车，辽A牌照，在两车相聚五米之时，面包车上突然下来两名蒙面歹徒，戴着前进帽和白口罩，身披蓝大褂，手持猎枪，将取款车司机和押运员逼住，随后将装有二十七万元现金的皮包抢走，动作极快，前后过程不足两分钟。当天，警方在铁西区德工街附近楼群里发现歹徒抛弃的面包车。随后，又在于洪区的苗圃里发现面包车司机的尸体。

吴红的失踪非常偶然，没有任何征兆。孙程骑车放学回来，便看见自己家的屋子塌掉一半，烟囱已经倒在地上，他进屋一看，吴红并不在家，而这几天，孙少军正去外地帮朋友忙，孙程联系不上，于是他只好住在剩下的半间屋子里，天气很冷，他睡不安稳，夜晚能听到砂土下坠的沙沙声响。孙少军出门回来后，见此情况，父子二人在附近租了一套房子，将屋内的摆设逐一搬入，孙程举着吴红的病历，问还要不要，孙少军叹了口气，说，先留着吧。搬完家后，孙少军掏出两千块钱，交给孙程，说省着点花，自己还要出去一段时间，你照顾好自己。

一九九七年三月九日，沈阳阀门厂经销部主任姚远帆，欲购入一台轿车，其妻子上午去机动车交易市场看好一台，并与卖车人到银行取得十三万元现金，送回经销部，之后又转去另一家银行取钱，两名歹徒从银行尾随而来，先是买阀门为名，进入销售部，查看情况，并未引起当事人注意，随后，两名歹徒走后不久，又戴着摩托车帽再次来到经销部，姚远帆见势不妙，将一袋现款全部倒在地上，歹徒举枪打到了姚远帆的左肋，然后持枪胁迫卖车人，让他将从地上一一拾起，作案时间较长。随后，两名歹徒骑上一辆红色摩托车逃离现场，行驶至泵业市场附近，与一辆正常行驶的厢货相撞，两名歹徒均受轻伤，提着钱袋，准备逃脱，未遂，被逮捕归案。据调查，两人本是兄弟，名为肖知仁、肖知礼，肖知仁原为线路大修段职工，后因单位精简人员而下岗，在南站拉脚儿、打零工，肖知礼原为五金商店售货员，后商店关张，他开过几年出租车，现无业。

吴红失踪之前，有一段时间在家休养身体，附近有个十三路教堂，毗邻菜市场，有一次，吴红买完菜后，随着人群进入教堂，尖顶高窗，有专门人员发饼干，吴红攥在手里，汗水浸透，也不敢吃，场地宽阔，琴声抚慰胸怀，有人站在讲台上，给大家讲道理，声音洪亮，像晚会歌手，有的道理吴红能听懂，有的听不懂，但去了一次，还想去第二次，后来变为常客，别人唱歌，她不唱，听完道理，提着菜回家，复述给孙少军父子，她说，少军，耶稣今天讲，你必忘记你的苦楚，就是想起来，也如流过去的水一样，你在世的日子，要比正午更明，虽有黑暗，仍像早晨。孙少军说，一句没听懂。吴红又说，不要含怒到日落，太阳下山了，只有你一个人还在河边，抽打水浪，徒劳无功，风总会将水面抚平。孙少军想了想，说，耶稣没认出我来，河边的不是我，我在水底。

审讯过程中，肖知仁、肖知礼对犯罪事实供认不讳，并由此引出七八、十一五两个案件，同时，他们也交代出另一位犯罪嫌疑人，肖知仁曾经的同事，后来的同行，下岗职工孙少军。隔天，警方将孙少军在家中抓捕。前两次案件抢劫所得，孙少军基本作为家用，另一部分存在炕琴底层，用报纸包着捆好。肖氏兄弟两次作案得手之后，逃去南方，很快挥霍一空，回来之后，来找孙少军策划下一次行动，孙少军拒绝参加，肖氏兄弟手里握有猎枪，三番五次以家人作要挟，并雇人将孙少军家的平房凿得半塌，此后，孙少军为防备起见，联系上另一条通路，出门去买枪，他并不想杀谁，只是为了能对肖氏兄弟起到一定的制衡作用，但在外被卖家蒙骗，付款之后，却没有买到枪，失望而归，这是他在提审时所讲的话，警察去家里搜，翻天覆地，脏乱一片，也确实没有找到任何可疑物品。

孙程坐着公交车去德胜火葬场，花一千块钱买了个骨灰盒，黑檀木制，四壁盘龙，典雅大气，回来准备将月饼盒里的骨灰换到新的骨灰盒里，他抬起沉甸的月饼盒，用指甲扣开月饼盒，相当吃力，打开一看，发现里面不只有灰烬、碎骨和泥土，在最下面，还埋着一把枪，新五四式，旁边还有一个小塑料袋里，拉着封口，里面装着五颗子弹，他看了半天，将枪放在新骨灰盒的下方，灰烬、碎骨和泥土洒落覆盖其上，严密盖紧，又以红布包裹几层，放在皮箱里，出门坐车，去跟他的生母一起生活。孙少军被枪毙之后，孙程想去取回骨灰，孙母始终没有同意。此时，孙母又另组家庭，生活不便，孙程放弃读书，开始四处打工，自力更生，开始在超市打工，后来换在新华书店理货，每月工资一千二百块，他在附近租一间四百块钱的单间，剩下的钱基本用来买书，堆在地上，彻夜阅读。刚上初中时许过的愿望并未实现，他没有跟任何人成为朋友，性情愈发内向，工作之余，与同事少有交集，基本只在看书，有以前的同学来逛书店，见过他几次，举手打招呼，他却避到一旁不理。次年冬天，他所租住的房间暖气漏水，十分严重，他回家推门，满地散发着白色热气，那些书在锈水上漂浮，像一艘艘搁浅的船只。

五

我退掉临时租的插间，彻底搬到办公室来住，黑白颠倒，每天除了睡觉之外，凡是醒着的时候，都是一边抽烟一边干活。肖雯来看过我两次，第一次来检查进度，跟我说，现在不好招人，让我自己多做一些，尽快出活；第二次来的时候，我打印出来一摞稿件，准备让她带走，交稿审核，另外又做出几个新的选题，肖雯简单翻两页稿子，坐在凳子上，跟我说，能不能研究个事情。我说，啥事儿。肖雯说，王沛东回家照顾孩子，这次情况不太好，需要一笔治疗费用，我的钱都投在这里了，实在没了，最近社里还有一笔稿费，我催一下，应该很快会开过来，你看如果方便的话，能不能先借用几天。我想了想，说，倒是可以，但能不能也稍给我留一些，最近手头也不太宽裕，其余随便。肖雯听后很高兴，说，那是一定的，等我消息吧，谢谢，谢谢。

肖雯说完刚要走，我站起身来，上前一步，拉住她的手，笑着说，要不别走了，等下一起吃饭。肖雯看着我的眼睛，说道，都什么时候了，还有这心思。我说，实在是太无聊了。肖雯一脸苦相，说，求求你，别添乱了。我叹了口气，便松开她的手，独自下楼散步，肖雯在屋里，不知道在给谁打着电话，临走之前，电话接通了，她开始说一种我完全听不懂的方言，语速很快，像在吵架，我轻轻把门关上。

我已经很久没有跟刘柳联系过了，自从上一次她把我送到地铁站后。第二天，北京下过一场大雨，水淹低地，我们从此失联，我发信息她不回，打电话也没接，连续两天，我便放弃了，想起曾经在一起的数个夜晚，仿佛梦境一般，潮湿而黏腻。那天在地铁站分别时，刘柳说，我有一种感觉，孙程这个人，好像也认识，怎么好像你故事里的人，我都认识。我说，不必这么跟我套近乎吧。她说，不是，是真的，从前你写失踪的出租车司机，前几天我妈打电话，也讲了个类似的事件，不过是发生在我们老家，齐齐哈尔，司机失踪，全城寻找，最后也是枯井里发现，不过最后警方鉴定为自杀，种种迹象表明，他是自己投的井。我说，你信么。刘柳说，当然不信，怎么可能啊。我说，我信。刘柳说，别打岔，这个孙程，我总觉得也很熟悉，上次你讲完，我还梦见过一次，跟我一起困在湖底，我们想上岸，但却不知该往哪里游，湖面结冰，太阳照在上面，金光折射，但里面却依旧很冷，四处都找不到出口。我说，最后一趟车要来了，你们慢慢找，我先走一步。

我独自在外面吃过饭，又回到办公室，肖雯已经离开，我坐在电脑前，想把给刘柳讲的故事写出来，却不知从何开始。只有一辆红色出租车，不停地在我脑海里闪过，拉达，手动挡，辽A牌照，从巷口拐出，开得飞快，两边灰尘都扬起来，里面坐着三个人，坐副驾驶上的人，满头大汗，将车窗摇下一半，朝着我这边看，我骑着山地车，与其并行，风将我们身上的汗水一并吹干，我看见他张了张嘴，仿佛要对我说些什么。

几天之后，我接到一个陌生号码，挂掉两次后，还在不断打来，我只好接听，发现居然是刘柳，她在电话里问我在哪里，我说在办公室里，立水桥附近。她解释说，这是她老家的号码，前段时间，刚回了趟老家，家里有点事情，回来之后，发现租的房子漏水，没办法住，跟房东吵了一架，随后退房，现在没地方住，能去你办公室对付两天么。我说，不太方便吧。她说，好，那我再想想办法。我犹豫一番，又说，要不你过来吧。

刘柳来找我时，我已经很长时间没出过门了，这几天里，我在尽量减少开销，在我的银行卡里已经取不出来整数时，肖雯打来一千块钱，我拨去电话，本想让她多打一些过来，毕竟前一部的书款，再加上接下来这本的预付款，总数应该有近万元，但肖雯没有接电话，晚上我又打，还是没接，于是我发了条信息给她，措辞半天，想让她尽量照顾周全，我这边也比较为难。我躺在沙发上过夜，第二天早上醒来，翻开手机，发现肖雯还是没有回信。

第一个晚上，刘柳睡在屋里的床上，我睡在沙发上，她洗漱时，神情犹豫，动作有些警惕。我说，你放心休息，我现在没有多余的想法。刘柳说，不是这意思，我没有要防备，不然我就不来找你了。我说，你洗完好好休息，我继续写稿。刘柳说，这次回家，其实是去处理我爸的丧事，烧百天。我说，节哀。刘柳摆摆手，说，我跟我爸没啥感情，很小的时候，他跟我妈就离婚了，我一直跟着我妈过，这次又去烧我爸生前的一些东西，发现许多火车票，从齐齐哈尔到沈阳的，临住院之前的一段时间，他往返许多次，我没想明白，他去沈阳做什么呢，我家在那边也没有亲戚。我说，这我怎么知道。她说，想不通，唯一我想到的，就是许多年前，也是离婚之后，他去沈阳打过两年工，在建筑工地，说是在郊区盖别墅，但那也是二十多年前的事情了。我说，别墅的名字叫什么。刘柳说，记不住了，就知道旁边有座山，有一张我爸的照片留念，站在山底下，背后的山有两峰，并排矗立，酷似两个耳朵。我说，那可能是马耳山，在沈阳南郊，我也去过。刘柳说，现在是什么样呢，以后也带我去看看。我说，开发成种植园了，可以采摘草莓，一百一位，进去了草莓随便吃，吃多少都行，能管饱。

次日中午，我还没醒，便传来一阵急促的敲门声，刘柳跑去开门，进来一对中年夫妻，我勉强打起精神，问他们是谁。他们说是房主，准备来收回房子，提醒我们要尽快搬走。我说应该还没到期吧，押一付三，这个房子刚用没几天。他们说，房子是肖雯租的，她昨天打来电话，说家里有事，急需用钱，房子暂时没办法继续租了，押金可以不退，但希望我们把付过的租金还她一部分，我们今天过来收房，她没跟你说么。我说，没有，你等一下。我又给肖雯拨去电话，还是没接。刘柳站在一旁，看着我，我想了想，对房主说，给我一天时间，明天我就搬走。

房主走后，我跟刘柳说，要不要出去找房，我们合租一间，节约成本，但也难办，我的钱被肖雯借走一部分，所剩无几。刘柳说，她是还有一些钱，但是不多，不过要再考虑一下，目前没有住处，工作也已经辞掉，这样的情况，继续留在北京，意义也不大，不如回老家休息一阵，再从长计议。当天晚上，我取出最后的一千块钱，本想请刘柳吃一顿好的，结果她说不饿，只在楼下超市买了几袋零食和啤酒，她躺在沙发上，我在网上找房子，她跟我说，这次回来时，发现房间漏雨，满屋潮气，墙壁挂着水珠，当时想起来你讲过的孙程，由于暖气漏水，他家的书都被泡在水里。我说，对。她说，我的书虽然没那么严重，但有一些也已经变形，我打开门，看了一眼，一本都没拿出来。我说，书湿后，先将水擦干，再放在冰箱里的冷冻室里，几个小时后取出，这样就不会产生褶皱，生活小窍门。刘柳说，孙程的那些书，放在冰箱里了吗？我说，没有。刘柳说，那些后来怎么处理了。我说，晒干之后，卖给废品站，一本不留。我关上电脑，点了根烟，继续为她讲述。

孙程从书店辞职后，买来一张假文凭，文科专业，较难识别真伪，之后去各中小公司面试，撰写药品和保健酒的宣传文案，轻车熟路，无奈后来公司倒闭，他又去动漫企业面试，开始创作动漫脚本，撰写梗概，也帮忙划定分镜，工作地点本来说是在浑南，老板提出集体创作概念，包吃包住，待遇优厚，孙程没有犹豫，整理行囊，坐上客车来到沈阳南郊村落，背靠山峰，在此安营扎寨。

他们住在一户大院内，主人是老板的亲属，一对老年夫妇，退休后来到这里，养一条狼狗，在后山也有菜园，这对老年夫妇负责员工饮食起居。第一天晚饭之前，张姓老板介绍说，这是我老舅，姓杨，从前是国家干部，也有点文化水平，大家以后叫杨老师就行。孙程也跟着大家叫杨老师，杨老师举起杯酒，站起身来，对大家说，别叫我老师，不敢当，我比你们大一个辈分，本名杨树，大家叫我杨叔就行，以后有问题尽管找我，别客气。孙程遥远而模糊的记忆，被一点一点唤醒，响亮的耳光，从前反抽过去的肉手，如今正举着酒杯，神态拘谨，目光慈祥。他看着眼前这张脸，想道，原来这么多年，自己真的活过来了，辍学之后，无论在哪里工作，浑浑噩噩，每一天过得都像同一天，他想起孙少军说过的话，生活在水底，如今他好像有了一个浮上来的机会，这一瞬间的想法，使他打个冷战。杨树喝完半杯白酒，晃晃悠悠地坐下，沉默不语，不再刻意维持笑意，脸上的肉耷下来，布满褶皱，看着很像一条年迈的狗。

孙程被苏醒的一刻所震慑，无数念头持续上涌，他开始竭力去躲避，每天辛勤工作，查看资料，撰写脚本，尽量让自己不去想过去的仇怨，但在夜深人静之时，他还是控制不住，他曾读过一本小说，其中的一段对话在他的心里无尽地重复着：

甲：您最好别杀了他，这种事会毁了我们的，您和我，再说也没必要，那个家伙不会对任何人造成伤害了。

乙：这事不会毁了我，相反，会给我带来资本。至于说他不能再伤害任何人，我能对您说什么呢，事实是我们不知道，也无从知道，您和我都不是上帝，我们只能做力所能及的事，仅此而已。

几个月后，公司经营不善，没有持续的投资进入，张姓老板决定就地解散，由于事先跟职工没签合同，所以他只赔付极少一部分，作为众人的酬劳。大家相当失望，孙程也是，他徒步走向长途公交车站，回到市内，在宾馆住了两晚，看了两天电视剧，在第三天重又出门，打起精神，整理背包，像要进行一次远行。

孙程返回沈阳南郊地区，那附近有一片废弃的别墅区，由于资金链断裂，已经荒废近二十年，破败不堪，罕有人迹，有的只打了桩，有的盖起二层，孙程选择其中一间，爬上二楼，连住两天，白天睡觉，晚上仔细勘察，他回到杨树的院子附近，找到一个隐蔽的入口，进入到北面的废弃厂房，从前在半夜，这里总有莫名的声响，但这次他没发现任何动静，只有无数深坑与废井，随后，他返回二层的别墅里，从骨灰盒里掏出那把枪，装上子弹，来到野外，朝着黑暗放了一枪，以证明这把枪还可以使用。第三天夜里，十点左右，他揣好枪，轻装上阵，再次返回到农家院，风声割裂山谷，他走到门口，顶着大风，不顾嚎叫，将那条老狗打死，然后迅速离去，他想，如果杨树看出这是枪打的，想起应是曾经的仇家，一定会落荒而逃，在余生的每一天都心惊胆战，那样他的目的就达到了。

枪声在山谷里回荡，他在月光之下爬回废弃别墅的二楼里，点起一堆火取暖，睡到半夜，他听到下面有响动，于是十分警惕，将枪揣在裤兜里，屏住呼吸。借着火光，他看见有影子持续闪动，于是提声问道，是谁。那个声音说，兄弟，没别的意思，外地的，路过，外面看见有火光，过来取取暖，我有白酒，一起喝点儿。孙程没有答话，那人一步一步迈上来，边上台阶边咳嗽，上到二层后，孙程借着火光看他，消瘦而憔悴，衣着干净，他坐下来，吸几下鼻子，双手靠拢火堆，来回搓动。孙程问他，从哪里来的。他回答说，北边。然后从背包里掏出一瓶白酒，递向孙程，说，来一口，北大仓，酒厂里出来的。孙程摆摆手，他便自顾自地喝起来，咳嗽得越来越凶。孙程问他，来这里做什么。他没有回答。孙程便不再说话，躲在角落里，半闭着眼休息。那人走在窗边，透过水泥窟窿向外望，自言自语道，别墅区总共一万一千亩，长城式围墙，曲折延伸三十二华里，现在总共有二百七十五幢残缺不全的撂荒别墅，很多别墅只打了个桩，其中铺好水泥楼梯的二层别墅，不超过十栋，这是其中之一，也是最偏的一处，兄弟，你在这里做什么，我不便多问，但你很会找地方。孙程说，你到底是谁。他说，谁也不是，二十年前，我在这里工作，负责监督施工。孙程说，回来干啥。他说，出来工作之前，我已离婚，女儿当时还不知道，她吵着要来看我，老婆带着她过来住了半个月，回去那天，工地突发情况，我没来得及去送，她们便消失在去车站的这条路上，从此再无音信，我找了很多年，什么办法都用过了，至今还没找到，别墅项目后来废掉了，但我每隔几年都会回来看看，偶尔还能梦见她们，在梦里，她们哪也没去，还困在这里，走不出去，像是在湖底，所以我要回来看看。

孙程不再说话，天亮之后，这个男人先一步离开，孙程也收拾东西走掉，整天在山谷里游荡，密林交错，他躺在树下，闭目养神。刚一入夜，他再次回到农家院时，发现里面仍旧亮着灯，并且有杨树的说话声，他觉得非常失望，预期效果并没有达到，杨树并没有落荒而逃，他正准备离开时，杨树的妻子正推门走出来，端着脸盆，与孙程对视，在那一刻，孙程本来可以低头走掉，但他没有，他选择抬起头来，直视院内炽烈的白光，选择进入其中，回到记忆的某个刻度里，即便他还没有完全准备好。孙程的个子很矮，但走进去时，影子却拉得很长，他双手插在口袋里，想起昨夜的那个男人，困在湖底的母女，以及那部小说里的另外一段：

乙：你最好别插手这事了，我很快就回来。

甲：我坐在那儿看着漆黑的灌木丛，枝条随风摇摆相互缠绕交织出了一幅画。脚步声逐渐远去。我点了根烟，开始想些无关紧要的问题。比如时间，地球变暖，越来越遥远的星辰。

刘柳说，后面肯定是你编的故事，这两段出自《遥远的星辰》，我印象太深了。我说，全部都是我编造的，从头到尾。刘柳说，孙程杀死杨树了么。我说，不知道，可能杀了，也可能没杀。刘柳说，孙少军算得很好，五颗子弹，试枪一颗，打狗一颗，复仇两颗，最后留一颗，用于自杀。我说，简直异想天开，不是的，没人会给自己的儿子留一颗子弹，没人会那么做。刘柳说，最后出现的那个男人是谁呢。我说，他说他是谁，他就是谁。刘柳说，孙少军说他沉在水底，吴红岂不是比他更要艰苦。我说，吴红有人拯救，她离开之后，会艰苦，但也有希冀与喜悦，虽有黑暗，仍像早晨，但孙少军没有，自始至终都没有，孙程可能有，也可能没有，帷幕拉开，他的眼前就是那道白光，他必须要走进去，才能看见光里有什么。

白天里，我们已经收拾好各自的行李，将钥匙交还给房东，肖雯的电话依旧打不通，我发信息告诉她，我走了，记得管房东要回剩下的房租。我和刘柳买了一辆长途客车的车票，傍晚时上车，去往更北的北方，午夜时分，我给刘柳讲完整个故事，她靠在我的肩膀上睡着了，夜海磅礴，贫瘠的山峰隐藏在月影里，恰如礁石，一闪而过，到下一站时，有人下去抽烟，舒展身体，刘柳皱着眉头醒来，拉着我的手，又睡着了，我也很疲倦，但却始终无法安眠，我轻轻亲吻她的头发，然后抽出手来，提着背包走下车。在公路边，我看着客车缓缓开走，刘柳枕在车窗上，呼出均匀的白气，将其遮蔽，愈发不真实，接着便消失在前方的黑暗里，仿佛从来没有存在过。我打起精神，继续前行，我知道，在所有人醒来之前，还有很长的一段路，只能独自走完。

图书在版编目（CIP）数据

冬泳 / 班宇著 . -- 上海 : 上海三联书店 , 2018.9（2019.3 重印）
ISBN 978-7-5426-6405-1

Ⅰ . ①冬… Ⅱ . ①班… Ⅲ . ①短篇小说 - 小说集 - 中国 - 当代 Ⅳ . ① I247.7

中国版本图书馆 CIP 数据核字 (2018) 第 161787 号

冬泳

班宇　著

责任编辑 / 杜　鹃
特约编辑 / 翁慕涵　罗丹妮
封面设计 / 陆智昌
内文制作 / 李丹华

出版发行 / 上海三联书店
（200030）上海市徐汇区漕溪北路331号
邮购电话 / 021-22895557
印　　刷 / 山东鸿君杰文化发展有限公司

版　　次 / 2018 年 9月第 1 版
印　　次 / 2019 年 3月第 3 次印刷
开　　本 / 787mm × 1092mm　1/32
字　　数 / 150千字
印　　张 / 9.625
书　　号 / ISBN 978-7-5426-6405-1/I.1428
定　　价 / 49.00元